LA SOCIOLOGIE INDUSTRIELLE

« QUE SAIS-JE ? »

LE POINT DES CONNAISSANCES ACTUELLES

N° 1445

LA SOCIOLOGIE INDUSTRIELLE

par

Bernard MOTTEZ

Chargé de recherche au C.N.R.S.

PRESSES UNIVERSITAIRES DE FRANCE

108, BOULEVARD SAINT-GERMAIN, PARIS

1971

INTRODUCTION

On peut définir la sociologie industrielle comme l'application à l'industrie de la démarche sociologique. Cette définition peu compromettante n'est cependant recevable que si l'on évite deux malentendus.

Le premier, le plus grossier, est celui qui consisterait à faire de la sociologie industrielle une sociologie appliquée. Elle peut évidemment l'être. Ce n'est pas ce qui la caractérise. Dans la pratique industrielle courante, on fait d'ailleurs plus volontiers appel à la psychologie. Celle-ci s'est traduite par des techniques et des applications plus immédiates (voir P. Jardillier, *La psychologie industrielle*, « Que sais-je ? »).

Le second, plus subtil et plus répandu, consisterait à en faire la simple application à un domaine spécifique d'une démarche élaborée ailleurs quant à son aspect proprement théorique ou scientifique. Ce serait oublier que la pensée sociologique, même sous son aspect le plus théorique, ne progresse qu'à partir de l'analyse de réalités sociales spécifiques. Les modes d'analyse élaborés à propos d'un objet particulier peuvent se révéler fructueux pour en comprendre d'autres, et c'est alors qu'on peut parler, dans ce second sens, d'application. Or à cet égard, et pendant de longues années, la sociologie industrielle a apporté à la théorie sociologique au moins autant qu'elle lui a emprunté. C'est dire le rôle central qu'elle a joué au sein de cette discipline. Que les sociétés avancées puissent être aujourd'hui qualifiées de « post-industrielles » ne signifie pas pour autant qu'elle doive cesser d'y jouer un rôle important.

Cette précision apparaît nécessaire à un moment où la sociologie industrielle a perdu l'apparente unité qu'on pouvait lui trouver dans la période d'or des relations humaines. Elle risque, en effet, d'apparaître aujourd'hui comme le simple lieu de rencontre et d'application d'une sociologie des organisations, des décisions, des professions, d'une sociologie économique, politique, du développement, des classes sociales et des mouvements sociaux. De ces sociologies particulières, beaucoup sont nées dans l'entreprise ou sous l'égide de la sociologie industrielle. La fécondité de cette dernière est bien, paradoxalement, l'une des causes de l'absence d'unité conceptuelle qui la caractérise aujourd'hui.

Soucieux de mettre l'accent sur cette place originale et privilégiée de la sociologie industrielle au sein des sociologies particulières, nous avons tenu à présenter quelques-uns des principaux courants nés en son sein. Suivant en cela, et aux risques de simplification, une distinction traditionnelle, on présentera successivement l'organisation scientifique du travail (chap. I er), l'école des relations humaines (chap. II) et quelques aspects des théories des organisations (chap. III). On se centrera ensuite sur les problèmes de la technique et des rapports de l'homme à son travail, sur ce qu'on a parfois appelé la « sociologie du travail » par opposition à la « sociologie industrielle », censée évoquer une conception américaine plutôt limitée de la sociologie de l'entreprise (chap. IV).

Ce mode d'exposition historique — qui montre de quelle façon se sont constituées des démarches spécifiques pour étudier une série de problèmes, comment de nouvelles démarches, en même tant qu'elles constituent des réponses aux impasses rencontrées, désignent de nouveaux champs d'étude et formulent les problèmes en des termes qu'il était impossible de formuler sans les échecs des tentatives antérieures — nous a paru plus profitable et plus apte à faire le point de l'état actuel de la sociologie industrielle et à faire comprendre l'originalité de son point de vue, qu'un bilan par thèmes. En effet, à moins d'adopter une perspective d'analyse unique, ce à quoi nous nous refusons, une présentation par thèmes — nécessairement choisis en fonction d'un découpage emprunté à la pratique et non en fonction de leur pertinence par rapport à une problématique particulière — risque d'aboutir à un éclectisme décevant.

Une fois seulement ces courants présentés, à titre d'illustration et comme pour dresser une sorte de bilan de l'apport de chacun d'eux sur un problème pratique précis, nous avons consacré le chapitre final à la rémunération au rendement.

En dépit des discours auxquels il a parfois donné lieu, le problème de l'étendue et des limites du champ couvert par la sociologie industrielle est un problème dépourvu de tout intérêt scientifique. C'est une question de pure convention qu'il appartient à chacun de trancher à sa guise. Nous avons adopté le point de vue traditionnel, c'est-à-dire aussi le plus limité : nous avons traité ce qu'on peut appeler la sociologie de l'entreprise. Parmi les sociologies particulières nées sous l'égide de la sociologie industrielle, la sociologie des organisations se trouve dès lors privilégiée.

Nous ne parlons pas des relations professionnelles, c'est-à-dire de l'étude de la constitution et du fonctionnement des systèmes de règles qui régissent les rapports entre les syndicats de salariés, les responsables de la conduite des entreprises et l'Etat. A tort ou à raison, ce domaine extrêmement

vaste, fortement marqué par la pensée économique
et juridique, s'est constitué de façon relativement
autonome par rapport à la sociologie industrielle
classique. On ne trouvera rien sur des problèmes
aussi importants que ceux de l'emploi et du marché
du travail, problèmes où l'optique des économistes
du travail a jusqu'à présent prévalu. Nous ne
faisons qu'effleurer le problème de la classe ouvrière. En effet, ce lieu privilégié qu'est l'entreprise
au xxe siècle amène facilement le sociologue industriel à traiter tous les problèmes de la société et
à se considérer en même temps comme le sociologue
des sociétés industrielles. Or, c'est moins le problème
des sociétés industrielles qu'on peut regretter de
ne pas voir traité ici, que celui des entreprises dans
les pays en voie de développement. Par un effet
de feed-back, le constat de carence de certaines
analyses traditionnelles pour rendre compte de
la conduite des affaires et des entreprises dans
les pays en voie d'industrialisation oblige à reconsi-
dérer des modèles que nous avions jusqu'à présent
utilisés pour nos propres sociétés.

L'option adoptée n'implique aucun choix *a priori*,
de nature idéologique ou scientifique ; elle résulte
seulement d'un impératif matériel, celui de présenter, dans un nombre de pages aussi limité, les travaux de ceux que l'on désigne communément comme
les classiques de la sociologie industrielle : ce choix
permettait d'y inclure presque tous les principaux.

On trouvera dans la bibliographie de J.-D. Reynaud et J.-R. Tréanton ou dans le *Traité* de G. Friedmann et P. Naville les références des ouvrages et
articles cités, qui n'apparaîtraient ni dans la bibliographie sommaire ni en note. Les références aux
articles de la revue *Sociologie du travail* sont indi-
quées dans le texte par les initiales *S.T.*

Chapitre Premier

L'ORGANISATION SCIENTIFIQUE
DU TRAVAIL

On désigne sous le nom d'Organisation Scientifique du Travail (équivalent français du terme anglais *scientific management* ou *scientific administration*) les efforts menés, au début du siècle, par un certain nombre d'individus pour dégager de la pratique courante en matière d'administration des entreprises *des principes de caractère général* et dont la validité puisse même s'étendre à d'autres organisations.

C'est entre les deux guerres mondiales que l'O.S.T. connut son grand succès. C'est alors que dans un climat de ferveur quasi mystique, comme il en est habituellement de tout mouvement social de rationalisation, elle pénétra dans les entreprises et les administrations. Elle donna lieu à des débats et à des combats passionnés et parut transformer la nature même et l'enjeu des luttes sociales.

Certains, comme Frederick W. Taylor et ses élèves (Henry L. Gantt, C. B. Thompson, Carl G. Barth, Frank B. et Lilian Gilbreth) s'intéressèrent plutôt à l'organisation du travail d'exécution. C'est à eux qu'est souvent réservé, dans son acception étroite, le terme d'organisation scientifique du travail. D'autres comme Luther Gulick, Lyndall Urwick, James D. Mooney et notamment, en France, Henri Fayol portèrent surtout leur attention à la structure administrative des entreprises et des grandes organisations.

On se centrera ici sur le taylorisme. Mais la plupart de ce qui en sera dit peut être transposé pour les autres théoriciens. Il est clair par ailleurs que chaque fois que nous parlons d'O.S.T. dans ce chapitre et ultérieurement, nous nous référons aux théoriciens classiques et non pas aux organisateurs actuels, dont les pratiques se sont débarrassées pour l'essentiel des traits communément reprochés aux pères fondateurs.

I. — Un projet d'étude scientifique de l'organisation

L'Organisation Scientifique du Travail jouit d'un statut étrange au sein de la sociologie industrielle. Il y est toujours au moins fait référence dans les manuels. Parfois rejetée au simple rang d'objet d'analyse (on l'étudie dans sa pratique et dans ses résultats, comme une forme de direction, de division du travail, etc.), elle est plus souvent perçue comme une sorte de degré zéro de l'analyse sociologique. Elle est alors considérée comme un corps de propositions, mais ces propositions se trouveraient en grande partie erronées, parce qu'elles oublieraient justement les facteurs qui seront ceux qu'étudiera la sociologie. La sociologie industrielle serait née d'une critique radicale des erreurs de l'O.S.T. et de l'exploration systématique de ce qu'elle n'avait pas su percevoir.

Le premier et le plus grand mérite de l'O.S.T. est en même temps celui qu'il est le plus difficile de percevoir aujourd'hui, tant l'idée que l'organisation puisse être objet de science paraît à présent aller de soi : ce fut, en effet, l'O.S.T. qui désigna comme possible d'une analyse rationnelle et d'une action réfléchie ce lieu auparavant non perçu comme champ d'étude possible et livré à l'intuition et aux façons d'agir traditionnelles.

Par ailleurs, les critiques du cadre théorique en fonction duquel elle a posé un certain nombre de problèmes font trop souvent oublier l'un de ses traits, caractéristique d'une attitude véritablement scientifique : l'absence de réponse *a priori* sur chacun des problèmes qu'elle se trouvait avoir à affronter. D'une part, F. W. Taylor, du moins en principe, ne proposait pas un modèle général et *a priori* d'organisation, il prétendait seulement offrir les moyens d'en rechercher le meilleur pour chaque cas d'espèce (seuls les principes orientant la recherche des moyens devaient nécessairement, eux, avoir valeur universelle). C'est pourquoi il parlait à son propos de méthode et rejetait les termes de système ou de doctrine. D'autre part, les adeptes de l'O.S.T., professant pour la méthode expérimentale un respect confinant parfois au fétichisme, engagèrent, dans de multiples directions, des recherches approfondies d'un intérêt toujours actuel. L'oubli, chez les critiques, de cette attitude expérimentale et souple vient de ce que celle-ci ne trouva à s'exercer que dans les endroits limités que suggérait un cadre théorique justement caractérisé par une conception dogmatique et *a priori* de la division du travail et des rapports sociaux dans l'entreprise.

II. — Conception et exécution

La clé de ce cadre théorique est la distinction tranchée entre conception et exécution. « Un travail, quel qu'il soit, nécessite toujours deux opérations, ou deux groupes d'opérations distinctes : l'une de ces opérations vise la conception du travail ou de l'exécution du travail ; l'autre, la réalisation matérielle de ce travail. La première est une opération intellectuelle, la seconde une opération manuelle » (1). L'O.S.T. se propose de trouver « comment obtenir dans les meilleures conditions possibles l'exécution de la tâche individuelle ou de l'ensemble des tâches au sein des entreprises pour que l'individu ou l'entreprise en tire le maximum d'avantages » *(ibid.)*. Elle porte donc sur l'*exécution*, sur la réalisation matérielle ; elle en est la *conception*.

Il apparaît vain de rechercher si c'est la nature des tâches initialement et le plus généralement analysées par F. W. Taylor — tâches routinières, de pure exécution — qui l'incita à accorder à cette distinction une importance aussi décisive, ou si c'est l'importance accordée à l'avance à cette distinction élémentaire et commode qui l'amena à exercer surtout ses talents, et en tout cas à mieux réussir, dans les secteurs où prédominait ce type de tâche. Mais il est certain qu'une fois établie, cette dichotomie devient la forme *a priori* de tout regard sur les réalités de l'entreprise. Elle devient prescriptive. Rationaliser, organiser une entreprise, c'est faire en sorte d'y réduire les activités à ce seul contenu sur lequel l'organisation scientifique du travail, par la définition qu'elle s'est donnée, soit à même de dire et de faire quelque chose : à une tâche de pure exécution.

Certaines activités y étant par leur nature comme prédestinées, peuvent sans dommage apparent être vidées des quelques éléments d'initiative et de décisions individuelles qui leur restent. D'autres se prêtent particulièrement mal à une telle réduction. L'impuissance de l'O.S.T. à l'égard de ces dernières indique ses limites. Elle indique en même temps, comme avec un verre grossissant, tout ce qu'a de partiel le point de vue en fonction duquel étaient analysées même les activités pour lesquelles il paraissait le plus adéquat.

---

(1) J.-P. PALEWSKI, *L'organisation scientifique du travail*, « Que sais-je ? ».

III. — Le comportement réduit
à ses composants physiques

J. March et H.-A. Simon ont qualififé l'O.S.T. de *théorie physiologique des organisations*. Ce terme est heureux pour désigner la direction peut-être la plus positive dans laquelle elle pouvait s'engager : la dichotomie sous-tendant leur conception de l'entreprise rendait en effet difficile une approche plus psychologique. C'est en partant de la nature des travaux analysés par F. W. Taylor et ses associés que ces auteurs montrent la logique d'un tel choix.

Il s'agit de tâches en grande partie répétitives. L'activité quotidienne d'un travailleur peut donc « être divisée en un grand nombre de répétitions cycliques d'activités essentiellement identiques ou très voisines ». Ces tâches, d'autre part, n'exigent jamais de prises de décisions complexes et importantes. Ce caractère routinier fait qu'elles peuvent être à peu près complètement analysées, si l'on peut dire, de l'extérieur, « en termes de conduite objective, sans références explicites aux processus mentaux du travailleur », bref, en termes d'une série de gestes décomposables, effectués en un certain temps.

C'est en ingénieurs, qu'ils sont avant tout, que les adeptes du *scientific management* analysent ces tâches où les travailleurs ne sont que les auxiliaires des machines ou leurs substituts (manutention de gueuses de fonte, pelletage). Ils « décrivent les caractéristiques de l'organisme humain, comme on pourrait décrire une machine relativement simple. L'objectif était d'employer l'organisme humain, plutôt inefficace, de la manière la meilleure possible dans le processus de production. Ceci devait être accompli en spécifiant un programme détaillé des comportements qui transformerait un mécanisme à tous usages, comme l'est une personne, en un mécanisme plus efficace pour un usage spécial ».

A partir du moment où le comportement est conçu et analysé « comme une succession d'activités physiques », c'est du côté de la physiologie, voire de la neurophysiologie, que l'on se trouve normalement conduit pour quelque approfondissement que ce soit des problèmes. Dans ce domaine, c'est incontestablement sur le terrain de la fatigue que l'organisation scientifique est allée le plus loin.

IV. — La motivation

Si, du fait des tâches analysées, F. W. Taylor et ses disciples peuvent se contenter d'une description externe et d'une physiologie, c'est-à-dire faire l'économie d'une psychologie de l'homme au travail, ils ne peuvent passer outre au problème des motivations. Il est symptomatique que la seule motivation envisagée (en tout cas la seule retenue, mise en forme et ayant donné lieu à des recherches) soit justement celle qui est la plus extérieure au travail proprement dit : le salaire. L'effort de F. W. Taylor a même très concrètement consisté à faire en sorte qu'elle devienne plus extérieure encore qu'elle ne pouvait l'être auparavant. Le freinage — point de départ de la réflexion taylorienne (cf. chap. V) — venait de la présence continuelle chez le travailleur, dans le moment même qu'il exécutait sa tâche, d'un esprit de calcul, de type marchand, pour maximiser le prix de son travail. Trouver un principe externe, objectif de détermination des temps et des tarifs, c'était, en théorie du moins, priver le travailleur de cette possibilité de jeu et de cette préoccupation constante. Celle-ci, dernier reliquat d'un principe autonome de décision pour le travailleur engagé dans des tâches de pure exécution, était supposée venir limiter le libre et plein épanouissement de ses aptitudes physiologiques. Ayant perdu la possibilité d'agir sur le prix de son travail dans le moment même qu'il l'exécute, le travailleur n'a en effet plus d'autre ressource, pour gagner plus que celle, très mécanique, de travailler plus.

La façon dont est étudié le problème du stimulant financier, en termes mécaniques, étroitement behavioristes, est en harmonie avec la perspective d'ensemble du système. Des expériences systématiques, par exemple, sont entreprises pour déterminer quel est exactement, pour chaque type de travail, le pourcentage d'augmentation nécessaire et suffisant pour qu'un travailleur juge utile de faire le surplus d'effort qui lui est demandé et de s'y tenir. Le problème étant ainsi posé, on comprend l'intérêt crucial de recherches visant à *mesurer* des variables physiologiques comme l'effort et la fatigue.

V. — Organisation et innovation

Rien *a priori*, selon F. W. Taylor, ne s'oppose à une application de sa méthode aux travaux intellectuels. Le temps nécessaire à un mécanicien moyen pour lire un dessin jamais vu auparavant est évalué. F. W. Taylor fournit même l'exemple de la résolution d'un problème de mathématique. La différence serait de degré, non de nature. Mais, en réalité, la séparation ne passe pas entre travail intellectuel et travail manuel : elle passe, à l'intérieur de chacun d'eux, entre la conception (c'est-à-dire la décision concernant l'ajustement des moyens et des fins) et l'exécution.

Ainsi, au sein de l'entreprise organisée, les activités impliquant les décisions les plus complexes (à la limite et s'il ne s'agit vraiment que d'une différence de degré) peuvent être rationalisées. Mais elles ne peuvent l'être que dans la mesure où ces décisions seront sans conséquences majeures, où elles ne viendront pas modifier l'ordre prévu des choses, où elles n'entraîneront pas de changement dans la définition et les procédures d'organisation des autres activités et où, dans l'imbrication complexe de l'ensemble des fins et des moyens, elles ne remettront pas en cause certaines fins.

Car tel est bien ce qui rend possible cette dichotomie conception-exécution : l'organisation scientifique du travail ne peut présenter ce visage d'impitoyable évidence rationnelle, traquer toute source d'incertitude et entrer aussi minutieusement dans le détail de chaque chose que parce qu'elle considère les buts comme donnés d'avance et sans ambiguïté.

De par sa structure la plus profonde, cette rationalisation contraignante ne laisse hors d'elle-même, aucune place pour l'innovation. Celle-ci apparaît aujourd'hui, en tous lieux, comme une exigence aussi impérative que celle de prévision et d'organisation. L'une des premières formalisations du travail d'organisation apparaît donc en même temps aux antipodes de ce qui est précisément recherché aujourd'hui. N'apparaît-elle pas même sous certains aspects comme une régression sur les chances antérieures ?

On peut, en effet, s'étonner des professions de foi de F. W. Taylor, déclarant mettre fin en effet à l'antagonisme du capital et du travail quand il enlevait au travailleur la liberté d'organiser sa propre activité. On peut, certes, s'interroger sur ce que l'ouvrier de métier faisait de cette autonomie professionnelle et se demander si elle allait toujours dans le sens de l'innovation. Il y a, en tout cas, lieu de croire que mettre fin à l'autonomie professionnelle est la façon la plus radicale de mettre un terme à toute velléité et à toute possibilité en ce sens.

C'est quand il fait tout, et ce de manière impérieuse, pour bannir autour de lui l'innovation que F. W. Taylor innove le plus. Il innove, si l'on peut dire, au niveau des fins de l'entreprise. Il affirme l'existence d'une rationalité et d'*une seule*. Mais cette rationalité, cette logique, il la place en un lieu différent de cette autre logique, celle du *profit* qu'en ardent libéral attaché au système capitaliste, il continue pourtant de reconnaître. C'est à côté de cette dernière, formalisée par les analyses des économistes ou logique de fait, mais seule logique alors institutionnalisée de l'entreprise, qu'il rend manifeste et formule celle de *l'efficience.*

Il eut à connaître le conflit entre ces deux logiques dans son activité personnelle, dans sa vie professionnelle. Il en a montré très clairement les différences et même les oppositions dans certains de ses écrits. C'est sur ce terrain nouveau de la rationalité qu'il escomptait réaliser l'union du capital et du travail. Bien maladroitement, il est vrai, car, comme pour mieux l'imposer aux parties, il en faisait en même temps le domaine réservé de l'expert, ne souffrant théoriquement l'intervention ni de l'un ni de l'autre. C'était, à tous ces titres, l'un des premiers penseurs de la technostructure.

Chapitre II

LES RELATIONS HUMAINES

Le terme de *relations humaines* désigne, en premier lieu, un mouvement intellectuel né dans les années 30 autour de la personnalité d'Elton Mayo et qui garda sa force d'impact jusque dans les années 50. Il peut être commodément situé par l'idéologie qui explicitement l'animait : un mouvement de réaction contre les excès de l'organisation scientifique du travail. On distingue habituellement deux générations : celle des pionniers, des disciples immédiats d'Elton Mayo (notamment F. J. Roethlisberger et T. N. Whitehead) et une seconde, dominée par les travaux de William Foote Whyte et de George Homans. On n'entrera pas ici dans le détail de ce qui revient aux uns et aux autres. Prenant au contraire le terme de relations humaines dans un sens large, on traitera plus généralement des travaux pouvant s'inscrire dans le cadre de cet objet sociologique nouveau, qu'ils ont été les premiers à désigner.

Le terme de relations humaines, par ailleurs, désigne à la fois cet ensemble de recherches de caractère scientifique, l'idéologie explicite ou sous-jacente de la doctrine élaborée à leur sujet et les pratiques qui s'en sont inspirées. Ces trois aspects sont si mêlés qu'il apparaît souvent difficile de décider lequel se trouve en réalité visé par les critiques qu'il a toujours été de bon ton de leur adresser. On s'efforcera, autant qu'il est possible, de se limiter à l'apport scientifique de ce courant. On s'abstiendra donc de le juger idéologiquement, c'est-à-dire de présenter les critiques en réalité les plus célèbres qui lui furent adressées. D'un point de vue strictement scientifique, ces critiques se révélèrent en général stériles. Ce n'est pas sur le terrain de la polémique académique mais sur celui de la recherche que des mises en cause et, partant, des progrès réels purent être réalisés. Or, ceux-ci le furent souvent par des adeptes du courant ou par des chercheurs qui en étaient proches. On le verra à propos de la notion de *moral*, pièce capitale de l'édifice.

On fit grief aux relations humaines d'être une sociologie d'inspiration patronale, visant à manipuler les travailleurs. Il y eut certes peu de courants de la sociologie industrielle plus soucieux du lien avec la pratique et plus riches, apparemment, de promesses d'application immédiate. Mais une telle accusation a peu de portée scientifique. Le succès d'une technique peut être une présomption en faveur de la théorie dont elle est issue ; son échec, même partiel, l'occasion d'une mise en cause nécessaire au progrès. Nous en verrons un exemple précis à propos de *la maîtrise*. Un bilan sévère a permis un progrès de l'analyse, préparant un dépassement du cadre même de la théorie. Il montre d'ailleurs dans le même temps — comme presque tout progrès dans les sciences humaines — le caractère toujours très relatif de la notion de « manipulation ».

Mais il faut auparavant présenter les grandes lignes de ce courant, ses thèmes et, d'abord, la recherche qui lui a donné naissance. Cette recherche,

mélange étonnant de scientisme et d'intuitions
géniales, est d'abord fascinante par sa démesure.
Sa trame n'est qu'une succession d'échecs au travers
desquels on voit peu à peu se profiler l'objet qui
deviendra ce sur quoi travailleront plusieurs générations de chercheurs.

I. — La recherche Hawthorne

En 1927, un groupe de chercheurs de Harvard,
sous la direction d'Elton Mayo, entreprenait dans
les ateliers de Hawthorne de la Western Electric
une série de recherches qui allaient se prolonger
jusqu'en 1932. L'intérêt de la firme pour la psychologie du travail s'était déjà traduit par une
série d'expériences sur l'éclairage, dont les résultats
avaient été déroutants. Simplifions : l'amélioration
de l'éclairage avait entraîné, comme on pouvait
s'y attendre, une augmentation des rendements ;
mais, curieusement, on enregistrait aussi une augmentation dans le groupe de contrôle pour lequel
les conditions n'avaient pas varié ; mieux, alors
qu'on diminuait progressivement l'éclairage dans
le groupe expérimental, le rendement continuait
de progresser. L'équipe d'E. Mayo ne fut en mesure
de suggérer une explication à ce phénomène qu'après
une série d'expériences conduites exactement dans
le même esprit, c'est-à-dire selon cette conception
expérimentale, propre à la théorie physiologique
des organisations, où l'on cherche à isoler le rôle
direct d'une variable spécifique, de type en général
délibérément physique, sur le comportement d'un
individu.

Il s'agissait d'étudier les effets de la fatigue et
de la monotonie. Cinq ouvrières, sélectionnées en
raison de leurs affinités et se prêtant de plein gré

aux expériences, furent isolées dans une pièce équipée de tous les appareils d'enregistrement permettant de mesurer l'incidence des facteurs physiques (humidité, température) sur le rendement. Le travail consistait à assembler des relais de téléphone. Un observateur, avec lequel les jeunes filles eurent rapidement des rapports amicaux, se tenait en permanence dans cet atelier expérimental *(Relay assembly test room)*. Selon un plan expérimental rigoureux, différentes modifications furent apportées à leur situation de travail : nombre et durée des pauses, diminution de la durée quotidienne et hebdomadaire de travail. En dépit de la réduction du temps de travail, le rendement augmenta. Mais celui-ci continua d'augmenter une fois que tous les avantages acquis furent supprimés et qu'on en revint à la situation initiale.

Les ouvrières, ne se sentant nullement plus fatiguées, furent aussi surprises que les chercheurs de ces résultats. Elles les attribuèrent aux relations agréables et confiantes régnant dans l'atelier expérimental. La conclusion de l'équipe est, suivant l'angle sous lequel on la considère, extrêmement vague ou révolutionnaire. C'est un programme de recherche plus qu'une explication. En tant qu'explication elle est plus claire dans ce qu'elle rejette que dans ce qu'elle affirme. Les chercheurs soupçonnèrent en effet que l'expérience qu'ils avaient réalisée était totalement différente de celle qu'ils avaient planifiée. Ils s'étaient efforcés de tester les effets d'une variable particulière en maintenant les autres constantes ; mais en cherchant à créer le climat favorable propice à leur expérience, ils avaient changé la situation totale des ouvrières, leurs attitudes personnelles et leurs relations interpersonnelles. Ce sont ces changements et non pas

les conditions matérielles qui expliquent l'amélioration du rendement. En d'autres termes : l'individu
ne réagit pas aux conditions physiques de l'environnement telles qu'elles sont, mais telles qu'il les
ressent ; or, il les ressent en fonction de sentiments
et d'attitudes qu'il apporte de son expérience personnelle, acquise antérieurement et hors de l'entreprise, ainsi que de ses relations et interactions
dans l'entreprise.

Il apparut que cette recherche méritait d'être
poursuivie pour examiner sérieusement cette hypothèse et en approfondir les éventuelles implications
théoriques et pratiques.

Un changement de méthode s'imposait. A l'expérience utilisée pour tester l'effet de variables
isolées, « il fallait substituer la notion de situation
sociale à décrire et à comprendre comme un système d'éléments interdépendants ». A mesure que
la recherche progresse (on n'en présentera pas le
détail, c'est-à-dire la série des échecs et des réorientations), on voit les chercheurs adopter une méthodologie de moins en moins interventionniste. La
gigantesque campagne d'interviews, de plus en plus
non directives, confirme et précise l'hypothèse qui a
réorienté les travaux. Enfin le fameux *Bank Wiring
Observation Room* est une étude de caractère ethnographique d'un atelier d'assemblage, comprenant
quatorze ouvriers. Les chercheurs ont analysé les
courbes de rendement individuel, observé avec
minutie les moindres détails de la vie quotidienne
de l'atelier, noté toutes les interactions entre les
individus des deux cliques, des deux groupes
informels constituant l'atelier. En montrant le rôle
que joue pour les groupes informels la fixation de
normes de production, ils indiquent une nouvelle
dimension du freinage. Comme pour mieux mettre

en relief cette dernière, ils éprouvent le besoin de rejeter, de façon malhabile, l'hypothèse économique courante de ce phénomène et vont même jusqu'à refuser de qualifier de freinage un contrôle de la production qui en a toutes les caractéristiques. La fonction externe du groupe informel, concluent-ils, sa raison d'être, est de résister au changement, et l'organisation informelle de *Bank Wiring* s'explique d'abord par sa position dans la structure d'ensemble de l'entreprise et les relations qui en découlent avec les autres groupes de l'entreprise.

L'analyse du *Bank Wiring* est souvent présentée comme l'aboutissement logique et la conclusion véritable de cette série d'expériences. Elle ne l'est que par nécessité. Ce sont les effets de la grande dépression et non une décision intellectuelle qui conduisirent les chercheurs à mettre un terme à des travaux qu'ils eussent volontiers poussés plus avant.

II. — L'entreprise comme système social

L'ouvrage de F. G. Roethlisberger et William J. Dickson, intitulé *Management and the worker* (1939), offre la relation la plus complète de cette recherche et fait figure de classique. Il est vrai qu'à peu près tous les thèmes qu'abordera par la suite l'école des relations humaines y figurent déjà : motivation, moral, groupe informel, *leadership*, résistance au changement, etc. Mais cet ouvrage désigne un nouveau champ d'étude beaucoup plus qu'il ne l'explore. Cela explique peut-être son succès jusqu'à aujourd'hui. Devant le caractère vague de certaines analyses, toutes les interprétations restent ouvertes. Le cas du *Relay assembly test room* est, à cet égard, exemplaire. La richesse du matériel présenté incite à ce périodique retour aux sources, qui permet à chaque fois de laver les pionniers des interprétations et des conclusions qui leur sont successivement attribuées.

L'ouvrage se termine par une série de définitions. Il s'agit d'un découpage conceptuel élémentaire de l'entreprise qui servira de grille d'analyse à toute l'école, et qui jouera longtemps un rôle heuristique certain, en permettant la localisation et la formalisation des problèmes.

Une entreprise industrielle a deux fonctions principales : fabriquer un produit — c'est une fonction économique qui peut s'exprimer en termes de coût, de profit et d'efficacité technique — et satisfaire ceux qui en font partie. Elle est continuellement confrontée à deux sortes de problèmes, d'équilibre externe, et d'équilibre interne. Les premiers peuvent être qualifiés d'économiques, les seconds portent sur le maintien d'une organisation sociale telle que les individus et les groupes puissent obtenir leur propre satisfaction dans le travail en commun. Ces deux aspects sont reconnus, mais trop souvent considérés comme sans relations l'un avec l'autre ou comme antagonistes.

L'organisation humaine, qui ne peut être considérée indépendamment de *l'organisation technique*, avec laquelle elle est en interrelation, se réfère aussi bien aux *individus* en tant que tels, aux valeurs et aux sentiments qu'ils apportent de leur passé ou de leur expérience hors de l'entreprise — aspect à la fois plus psychanalisant et anthropologique des relations humaines, qui sera relativement peu exploré par la suite — qu'à *l'organisation sociale*, c'est-à-dire aux modèles d'interaction *dans* et *entre* les groupes constitutifs de l'entreprise. Disons, au risque de simplifier, que l'organisation humaine a un aspect culturel et surtout psychologique, et un aspect sociologique ou psychosociologique.

Mais la distinction clé des relations humaines est celle qui oppose l'organisation formelle à l'organisation informelle. L'organisation *formelle*, ce sont les modèles d'interaction à l'intérieur de l'organisation humaine (ou entre l'organisation humaine et l'organisation technique) que prescrivent les règlements et les politiques explicites de l'entreprise pour assurer la coopération nécessaire à l'accomplissement de ses buts économiques. *L'organisation informelle*, ce sont les relations interpersonnelles de fait existant entre les membres de l'organisation et dont ne rend pas compte, ou mal, l'organisation formelle.

A ces organisations correspondent des *systèmes d'idées et de croyances particulières*, des logiques propres. C'est *la logique du coût* et *la logique de l'efficience* qui président à l'organisation formelle. A l'organisation informelle correspond *la logique des sentiments*, c'est-à-dire le système d'idées et de croyances qui expriment les valeurs propres aux relations humaines des différents groupes de l'entreprise.

L'idée de l'opposition entre plusieurs logiques connut immédiatement un large succès auprès du grand public. Celui-ci fut surtout séduit par l'idée d'une logique des sentiments. Le succès de cette notion — succès dû en partie à l'interprétation abusive de son contenu — n'a eu d'égal que l'oubli dans lequel elle est aujourd'hui tombée. Elle ne désigne pourtant rien d'autre, on le voit, que l'organisation informelle. L'opposition organisation formelle/organisation informelle eût dû être entraînée dans la même défaveur. Il serait trop long, et peut-être un peu vain, d'expliquer ici pourquoi il n'en fut rien.

La mise en évidence, sous ces qualificatifs, de plusieurs logiques, explique en tout cas l'intérêt des relations humaines pour le problème des *communications* et l'angle sous lequel il est abordé. Si les dispositions adoptées par une entreprise pour la mise en œuvre de la politique qu'elle a décidée ne sont pas suivies par les membres de l'organisation, ce n'est pas nécessairement parce que ceux-ci y sont opposés (les chercheurs de la Hawthorne, par exemple, ont fait de grands efforts pour démontrer qu'il n'y avait dans le comportement de freinage des travailleurs du *Bank Wiring* aucune malignité). Ce peut être parce qu'ils ne l'ont pas comprise. Or, il ne sert à rien pour les responsables d'une politique de la justifier auprès des membres dans les termes qui la leur fait adopter (en termes de coût et d'efficience). Il faut ajuster deux logiques, et pour cela comprendre et tenir compte de la logique des sentiments. Il s'agit évidemment de quelque chose d'autre qu'une simple affaire de langage. Il s'agit de la traduction et de la matérialisation de ces logiques dans un type d'organisation concret ou dans le processus de mise en place de tout système d'organisation.

Ce découpage conceptuel ne prend tout son sens qu'en relation avec la perspective d'analyse qui donne son originalité aux relations humaines. On l'a laissé entrevoir : on peut la résumer en considérant l'entreprise comme un *système social*. Le terme de système, emprunté à Pareto, signifie un ensemble dont les parties sont interdépendantes : un changement dans l'un des éléments se traduit par un changement dans les autres. C'est en termes d'équilibre qu'il importe donc de raisonner. Des exemples d'un tel type d'analyse peuvent être donnés. Le changement trop rapide d'un élément par rapport à d'autres, de l'organisation technique par rapport à l'organisation sociale, de l'organisation formelle par rapport à l'organisation informelle, ou du système d'idées et de croyances par rapport au substrat de relations et de sentiments dont il est théoriquement l'émanation, entraîne un déséquilibre, c'est-à-dire des pathologies dont la résistance au changement est la forme la plus commune, sinon le dénominateur commun. Toute politique préventive ou curative est affaire d'équilibration ou de rééquilibration des systèmes ainsi définis.

La prise en considération théorique de l'ensemble de l'entreprise n'est pas contradictoire avec le fait que les relations humaines se sont limitées à un seul domaine. Ce domaine pourrait être le seul ajustement des éléments les uns aux autres, les relations d'équilibre et de déséquilibre entre eux. L'analyse ne porterait alors sur aucune partie en tant que telle, mais sur chacune seulement en tant qu'elle est concernée par son ajustement avec les autres. Ce n'est pas exactement ce qui s'est produit. Dans le découpage proposé de l'entreprise, certaines parties, comme l'organisation formelle, ont fait l'objet d'une série de travaux (théories classiques de l'organisation, science administrative) auxquels il est toujours possible de se référer pour en avoir une meilleure compréhension. Il n'en est pas de même de l'organisation informelle. En désignant ce nouveau champ, les relations humaines étaient naturellement conduites à en faire leur objet d'étude privilégié. Leur véritable objet, c'est le groupe primaire.

Cette attitude est inséparable d'un respect pour les domaines déjà constitués. Il est temps de revenir sur l'idée des relations humaines comme critique radicale de la rationalisation taylorienne, image qu'elles ont contribué à donner d'elles-mêmes. Elles établissent leur domaine dans un lieu que celle-ci n'avait pas considéré, plus qu'elles ne la remettent en question. Elles en sont le complément, l'obligeant seulement à certains accommodements, la critiquant dans son inadaptation, dans son « style » mais non pas dans son fondement. Le formel, bien ou mal adapté, est considéré d'abord comme l'émanation d'une logique ayant en soi sa propre rationalité, et donc non questionné comme tel, non conçu ou analysé comme un produit, comme une élaboration sociale. C'est l'étude de la bureaucratie qui, préparant les cadres d'une analyse sociologique de la constitution du formel, permettra le passage d'une science normative et *a priori* de l'administration à une véritable sociologie de l'organisation.

Ceci explique pourquoi les recherches menées par l'école des relations humaines qui, théoriquement, auraient pu et dû porter sur toutes les catégories de l'entreprise, toutes formant partie du système social et participant de la logique des sentiments, n'ont pratiquement jamais abordé que les subalternes, n'allant jamais plus haut que les agents de maîtrise. En d'autres termes, les recherches ont porté sur ceux dont les activités s'inscrivent au sein de l'organisation formelle et non sur ceux dont l'activité est de l'élaborer, sur ceux qui subissent les politiques et non pas sur ceux qui les décident.

Cette concentration sur l'informel explique également les affinités des relations humaines avec la dynamique de groupe de K. Lewin. Les rapports de ces deux écoles, l'une plus expérimentale, plus psychologique et plus critique, l'autre plus clinique,

plus ethnographique et peut-être plus « manageriale » sont si voisins (C. Arensberg et G. Tootell
ont montré que le vocabulaire de l'un avait son
correspondant rigoureux dans celui de l'autre)
qu'ils se trouvent pratiquement confondus dans les
programmes de formation des agents de maîtrise,
dont ils continuent aujourd'hui à constituer la
substance.

III. — La résistance au changement

Etant donnée la place centrale, dans la théorie, de
l'idée de résistance au changement, les relations
humaines avaient vocation d'apporter leur contribution à ce problème aujourd'hui à la mode. Les
catégories généralement étudiées (personnel d'exécution) suffisent à indiquer qu'il ne s'agissait pas
d'analyser la prise de décision elle-même ou les
conditions favorables à l'innovation. Les analyses
portent sur l'aval des décisions, sur l'administration du changement, une fois que celui-ci a été
décidé. Cette façon de poser le problème s'inscrit
fidèlement dans la dichotomie de base de l'O.S.T.
Cette soumission va assez loin. La relative mise
entre parenthèses, on va le voir, de la nature et du
bien-fondé des changements projetés, confère à
ceux-ci une aura *a priori* d'impératif indiscutable
ou de rationalité en soi.

Les travaux ont porté aussi bien sur les changements affectant des communautés entières (*Yankee
City* de W. Lloyd Warner ou *Steeltown* de C. R. Walker) que sur les changements plus limités, de quasi-
routine, requis dans la vie quotidienne de l'entreprise : changements de postes, modification du
poste (changements dans les méthodes, dans les
produits fabriqués). L'optique pour étudier les uns

et les autres est fondamentalement la même. Mais c'est à propos de ces derniers que l'école a apporté le plus de lumière à la question éminemment pratique, voire cynique : « Comment faire accepter le changement ? »

En effet, à cette limitation dans la façon d'aborder le changement s'en ajoute une autre, communément reprochée aux relations humaines, alors qu'elle est constitutive de sa démarche et conditionne l'originalité de son apport : c'est, exprimé de façon abrupte, la relative indifférence à la nature du changement étudié.

En réalité, c'est moins de l'indifférence à l'égard de la nature du changement que la reprise en charge de la démarche de la recherche de la Western Electric. L'étude de H. O. Ronken et P. R. Lawrence (*Administering Changes*, 1952) sur la mise en place d'une chaîne dans une entreprise d'électronique au taux d'innovations élevé, est significative à cet égard. Ayant commencé leur étude comme une étude de changement technique, les auteurs se sont rendu compte que, étant donné l'impact de ce changement sur le système social, il s'agissait d'un problème d'administration. Toutes les péripéties de la mise en place, décrites avec la minutie propre à la tradition ethnographique des relations humaines, se révèlent entièrement explicables en termes de relations interpersonnelles ; les résistances n'étaient pas dirigées contre le changement technologique mais contre des transformations de la structure des relations interpersonnelles. De telles analyses ont le mérite d'attirer l'attention sur des aspects souvent négligés par les responsables. Si les conclusions de ces auteurs sur les communications sont décevantes, de telles études proposent fréquemment des mesures pratiques qui vont bien au-delà de la recommandation élémentaire d'informer à l'avance les salariés des changements les concernant.

Dans cette optique bien limitée, l'apport le plus décisif vient de la dynamique de groupe et plus précisément de la fameuse expérience de L. Coch et R. P. French (*Overcoming resistance to change*, 1948).

Dans une usine de confection de pyjamas, à main-d'œuvre en majorité féminine, les nombreux changements techniques, la forte rotation du personnel et l'absentéisme élevé obligent à de continuelles modifications des postes et à de fréquents transferts d'un poste à l'autre. Or, les ouvrières opposent une résistance au changement se traduisant par des réclamations portant sur les taux d'activité imposés, des départs, un freinage de la production et de l'agressivité à l'égard de la direction. Le personnel nouvellement embauché atteint plus rapidement le standard de production (60) que celui qui a été transféré. Parmi les ouvrières qui, avant le changement, atteignaient ou dépassaient la norme, 38 % retrouvent le rendement normal de 60 unités par heure. Les 62 % restantes, ou bien produisent régulièrement au-dessous de la norme, ou quittent l'atelier.

Les chercheurs ont constitué quatre groupes aussi semblables que possible quant aux performances individuelles avant le changement. Le groupe témoin fut traité de la manière habituelle : on expliqua au groupe les raisons du changement, le nouveau taux aux pièces et on répondit aux questions. Le groupe 1, auquel on expliqua la nécessité du changement, délégua des ouvrières pour étudier les modifications à apporter aux méthodes. Ces ouvrières, qui firent de nombreuses suggestions, formèrent ensuite leurs camarades. Dans les groupes 2 et 3, plus petits, toutes les ouvrières furent retenues comme déléguées.

Dans le groupe témoin, on nota des manifestations d'hostilité, une restriction de la production et 17 % de départs dans les quarante premiers jours. Le groupe 1 (participation par représentation) eut une courbe de réapprentissage particulièrement bonne et pas de départ dans les quarante premiers jours. Mais ce sont les groupes à participation totale qui récupérèrent le plus vite ; là aussi aucun signe d'agressivité et aucun départ.

Le groupe témoin fut dissous, ses membres répartis dans l'usine, puis réunis à nouveau deux mois et demi plus tard pour une seconde expérience. Avec la technique de participation totale, ce groupe retrouva très rapidement son rendement antérieur et on n'enregistra ni agressivité ni départ.

Cette expérience est riche d'enseignements. Elle montre en tout cas la supériorité pour l'acceptation d'un changement de la participation et de la participation du *groupe*, à la définition des tâches. En raison même de sa réussite, cette expérience a été souvent perçue avec méfiance, voire avec hostilité : il s'agirait de pseudo-participation, et de telles techniques de manipulation seraient dangereuses, car elles pourraient faire avaliser n'importe quel changement. C'est poser beaucoup de faux problèmes : *de telles techniques, en effet, ont surtout leurs limites dans la réticence qu'ont les responsables à y recourir.* Ce n'est pas n'importe quel problème qui sera soumis au risque de la prise de décision de groupe ; il n'est pas non plus assuré qu'y ayant eu recours pour les problèmes apparemment les moins risqués et les plus « contrôlés », les responsables soient en mesure d'en affronter les conséquences.

L'épilogue d'une expérience analogue de Bavelas vaut en effet la peine d'être conté. Dans l'atelier de peinture d'une usine de jouets où le bas moral, l'absentéisme, la rotation du personnel posaient des problèmes apparemment insolubles d'apprentissage, les ouvrières, à la suite de réunions de groupe où elles proposèrent de régler elles-mêmes l'allure de la chaîne, parvinrent sans peine à des quota bien supérieurs à celui qu'avait fixé autoritairement la direction, et qu'elles se trouvaient auparavant dans l'impossibilité d'atteindre. En amont de la chaîne, l'atelier précédent n'arrive pas à approvisionner. En aval, les stocks s'amoncèlent. Les ouvrières se font des salaires supérieurs à ceux des professionnels des autres ateliers, qui demandent des augmentations. Un dirigeant décide de revenir à la situation antérieure. Un changement, conclut W. F. Whyte, ne peut être envisagé isolément, il faut considérer l'entreprise dans son ensemble. Mais pourquoi l'expérience n'a-t-elle pas été au contraire généralisée ?

La décision de ce responsable « énergique » déborde le cadre de l'anecdote. Elle répète ce modèle dont est faite l'histoire de l'industrie : une série d'initiatives (spontanées ou provoquées) dont la plupart sont contrecarrées. On en trouve des exemples dans tous les pays du monde. C'est peut-être l'histoire du stakhanovisme en U.R.S.S. Celui-ci reposait beaucoup plus sur les initiatives en matière d'organisation du travail de la part des travailleurs, chefs de groupe, etc., que sur l'augmentation du rendement par le seul effort physique. Il était, en cela au moins, opposé au taylorisme. L'inconvénient majeur du système, celui qui suscita sans doute l'agacement des cadres et conduisit à modérer les élans, fut que les équipes stakhanovistes, par leurs rendements excessifs, posaient à leurs entreprises des problèmes incessants en matière d'approvisionnement, de coordination, d'exigences, etc.

De même que, dans le cas de l'usine de jouets, il était plus aisé de contraindre bureaucratiquement et de se plaindre éventuellement d'un mauvais rendement que d' « organiser » en fonction des initiatives, si limitées soient-elles, il était beaucoup plus facile pour les responsables des entreprises soviétiques (ou de l'économie) de laisser mourir de sa propre mort une politique visant à susciter les initiatives ouvrières que de réformer en conséquence leurs propres méthodes de gestion et de planification de la rareté.

Là encore, le point de vue moralisateur doit être dépassé : dans un système donné, les responsables ne sont pas entièrement libres d'adopter le comportement adéquat permettant aux travailleurs d'avoir à leur tour celui qu'ils souhaiteraient, à l'occasion, leur voir adopter (et dans les limites bien sûr, qu'ils auraient fixées). Le « biais » idéologique des relations humaines et des lewiniens, s'il en existe un, fut surtout d'avoir pendant si longtemps continué à employer les termes de « résistance ouvrière au changement » pour désigner une situation qui avait sa source — ils furent pourtant les premiers à le laisser entrevoir — non pas dans l'esprit des subordonnés, mais dans l'organisation elle-même.

IV. — Moral et productivité

Les chercheurs de l'école des relations humaines, on va le voir, ne sont ni les seuls ni les premiers à s'être préoccupés de la satisfaction au travail. Quelle que soit en effet la motivation poussant à s'intéresser d'un point de vue sociologique ou psychologique à l'industrie, on est assez normalement conduit à rencontrer ce problème. Il est, néanmoins, intéressant de noter que la motivation initiale n'est pas sans influence sur la façon dont celui-ci est abordé. Les analyses en terme d'aliénation, par exemple, ne sont bien souvent rien d'autre que la façon particulière d'aborder le problème de la satisfaction au travail dans une perspective critique (cf. chap. IV). Il est symptomatique que dans la perspective, somme toute « manageriale », des relations humaines, on se soit intéressé au rapport entre satisfaction et rendement. La notion de moral est le concept permettant de relier ce sentiment et ce comportement.

La satisfaction au travail a été, d'assez bonne heure, l'objet d'enquêtes empiriques, bien avant que ne soient vulgarisées les recherches de l'école des relations humaines. Il n'est guère fait référence à ces travaux. On aimerait rendre justice à certains d'entre eux. L'oubli de la plupart n'est pas fortuit. Ces recherches pèchent souvent par ce qui faisait à l'époque leur mérite et leur originalité : leur caractère empirique. Or, les précautions élémentaires auxquelles on est aujourd'hui habitué en ce domaine n'étaient pas toujours remplies. Leur utilisation pour une analyse secondaire en est rendue difficile. Les conclusions sont maigres et surtout peu convaincantes. Elles n'ont donné lieu à presque aucune formulation théorique de type *middle range*. Ces carences viennent assez directement de la nature du schéma théorique spontané ayant présidé au rassemblement des données. Faisant bon marché d'une réflexion psychologique, fût-elle élémentaire, les chercheurs se sont en général efforcés, à l'aide de questionnaires d'opinion, de dresser une sorte d'inventaire et de mise en ordre hiérarchisée des *déterminants objectifs* de la satisfaction (ou de l'insatisfaction) : salaire, travail lui-même, « pénibilité », relations avec les chefs, etc.

A l'égard d'une telle orientation, les relations humaines représentent une véritable révolution. En plaçant le groupe et la notion de participation au centre de l'analyse, elles proposent un principe unificateur et organisateur de la satisfaction, auquel l'analyse en termes de déterminants objectifs était par nature incapable de jamais parvenir. Pendant de longues années, le centre de gravité des travaux de ce genre en a été déplacé. Des études de motivation individuelle on est passé aux études de relations interpersonnelles ; des

méthodes de questionnaires par choix, on est passé
à l'examen clinique de situations, à l'observation
des interactions et des comportements, observation
éventuellement secondée par des entretiens peu
structurés. Ce changement dans la méthode est
possible pour une autre raison, de fond : le moral
n'est pas seulement le principe unificateur des
éléments de satisfaction et d'insatisfaction, il est
exprimable en termes de rendement, d'absentéisme
et de rotation du personnel. Il s'agit de la même
chose.

On comprend la fascination qu'a pu exercer
l'expérience du *Relay Assembly Test Room* sur les
responsables qui en ont eu connaissance. La satisfaction à l'égard du travail, du groupe, des chefs
et de l'entreprise est inséparable du bon rendement.
Or, ceci peut être obtenu, on le laisse du moins
espérer, à partir de pratiques de commandement
démocratiques, permissives, non autoritaires, de
pratiques pouvant être précisées, apprises et par
conséquent utilisées et exportées comme n'importe
quelle technique. Une entreprise peut fonctionner
pour la satisfaction de tous. C'est, sous l'égide
de la démocratie, l'union du bonheur et de la productivité.

C'est à cet espoir illusoire, érigé en donnée de
fait ou en objet de science, qu'une série de travaux
du *Survey Research Center* de l'Université de Michigan est venue mettre un terme. Il s'agit de
recherches sur les rapports entre productivité,
moral et types de commandement. Les chercheurs
ont distingué cinq dimensions de la satisfaction :
la satisfaction à l'égard du travail lui-même, la
fierté d'appartenir au groupe de travail, l'appartenance à l'entreprise et la satisfaction à l'égard
du salaire et du poste de travail. Or, il se révèle

ne pas y avoir de rapport entre l'indice global de satisfaction et la productivité. Seule l'intégration au groupe est parfois liée de façon significative à la productivité. Au contraire, les groupes à haute productivité tendent à avoir une attitude critique à l'égard de l'entreprise et à être plus insatisfaits de leur travail.

Cet éclatement de la notion de moral n'aboutit pas à un simple retour aux démarches antérieures. Les mêmes chercheurs qui ont mis en cause l'unité de la notion de moral se sont au contraire efforcés, en isolant la satisfaction, d'élaborer à son sujet une théorie véritable, qui puisse en rendre compte. Pour Nancy Morse, la satisfaction dépend de l'écart entre ce que l'on désire et ce que l'on reçoit, aussi toute élévation du niveau d'attente (à rétribution égale) ou toute réduction de la rétribution (à niveau d'attente égal) renforce-t-elle l'insatisfaction de l'individu. Cette proposition, élaborée à propos d'une enquête sur des employées d'une compagnie d'assurance, trouve sa traduction dans une formule mathématique que l'auteur applique avec succès à une recherche de Floyd Mann. Cette perspective en termes d'attente part de cette constatation élémentaire, dont elle permet de rendre compte : des travailleurs ayant des salaires élevés peuvent être plus insatisfaits de leur rémunération que d'autres dont le salaire est bas. Cette constatation banale est pourtant fréquemment oubliée dans la réflexion pratique courante sur les réalités industrielles ainsi que dans de nombreux travaux empiriques.

L'étude de N. Morse ouvre un vaste champ de recherches de type, pourrait-on dire, « économique », en termes de contribution-rétribution, dont Georges Homans est le principal théoricien.

Cette démarche n'a pas été seulement appliquée pour rendre compte de la satisfaction, mais pour expliquer d'autres attitudes et certains comportements. En France, Odile Benoît l'a appliquée pour expliquer les attitudes revendicatives et les comportements syndicaux (*S.T.*, 3, 1962), et c'est de cette démarche que relève, en dernière analyse, la recherche d'Anne-Marie Guillemard sur les conduites des retraités (1971).

O. Benoît distingue la situation des individus selon leur *contribution*, c'est-à-dire les éléments de statut personnel qu'ils possèdent indépendamment de l'entreprise où ils travaillent (âge, formation professionnelle, compétences, habileté...) et leur *rétribution*, c'est-à-dire ce qui est lié à leur présence dans l'entreprise et disparaîtrait s'ils venaient à la quitter (ancienneté et avantages s'y rattachant, salaire, considération...). Les attitudes et les engagements syndicaux se révèlent dépendre de l'équilibre entre ces deux ensembles d'éléments. A contribution faible et rétribution forte : dépendance, soumission et acceptation du patronat. A contribution faible et rétribution faible : marginalité, retrait par rapport à l'action syndicale et révolte. A contribution forte et rétribution forte : pouvoir, action syndicale dans le cadre d'une intégration à l'entreprise. A contribution forte et rétribution faible : frustration, action syndicale et révolte.

A.-M. Guillemard distingue divers types de conduites des retraités selon la présence ou l'absence de ce qu'elle qualifie de « ressources accumulées » (équivalent de ce qu'on appelle ici *contribution*), et selon la nature et le décalage éventuel entre deux types de ressources : les biens (éléments immédiatement utilisables à l'entretien de l'être biologique et à la position sociale des sujets) et les potentialités (les capacités spécifiques des sujets qui leur permettent d'obtenir médiatement des biens, leur capacité d'initiative). A l'absence de ressources correspondent une conduite du type retrait, un dégagement social à peu près total et un repli sur le physiologique. La présence de ressources accumulées sous forme de potentialités détermine une pratique de retraite de type « troisième âge » et, sous forme de biens, une pratique de type « loisirs ». Lorsqu'il y a un décalage entre les ressources, si ce décalage est en faveur des potentialités, on a une retraite-revendication, s'il est en faveur des biens, une retraite-participation. Si cette démarche se distingue des analyses antérieures, ce n'est pas, en tout cas, parce qu'il n'est pas fait mention de la rétribution. Celle-ci apparaît en quelque sorte de façon implicite ou négative et l'on peut considérer que la variable « rétribution sociale » n'est pas prise explicitement en considération parce qu'elle apparaît ici comme uniforme, comme une constante. Le caractère « économique » de la démarche apparaît d'ailleurs dans l'idée de décalage, qui évoque la notion de disparité du statut de G. Homans.

Si séduisante soit-elle, cette formulation très psychologique, en termes de bilan individuel, n'en pose pas moins assez rapidement des problèmes théoriques et pratiques pour la recherche. C'est pour tenter de les résoudre qu'à propos d'une analyse concrète, L. Karpik propose de distinguer une attente implicite et une attente explicite et surtout une attente psychologique et une attente sociale (*S.T.*, 4, 1966).

Plus proche de la tradition de mise en ordre des déterminants objectifs, la recherche de F. Herzberg et de son équipe (1959) s'en distingue néanmoins par la démarche utilisée et l'originalité de la conclusion.

S'inspirant de la méthode des « incidents critiques » de Flanagan, il a demandé aux interviewés de se souvenir des moments particulièrement heureux et particulièrement déplaisants de leur vie de travail et d'indiquer à quoi ceux-ci se trouvaient associés.

Les moments heureux se trouvent liés au travail lui-même, à des succès dans sa réalisation, à la réussite professionnelle. Les moments déplaisants ne renvoient pas au travail mais aux conditions dans lesquelles il s'exerce (supervision, relations interpersonnelles, conditions physiques de travail, salaire, pratiques de direction, sécurité du travail). A cette deuxième catégorie de facteurs, à ces éléments de l'environnement, F. Herzberg donne le nom d' « hygiène », en ce sens que l'hygiène est préventive et non pas curative. En effet, si ces facteurs se détériorent au-delà d'un niveau jugé acceptable par les salariés, il y a insatisfaction. Mais l'inverse n'est pas vrai. Ils peuvent au mieux éviter l'insatisfaction, ils sont

en soi incapables de conduire à des attitudes positives. Seuls
le sont ces autres facteurs qui satisfont le besoin d'autoréalisation dans le travail et que les auteurs appellent « motivateurs ».

Cette recherche nous entraîne bien loin des relations humaines dont elle relativise singulièrement les ambitions.
Toutes les mesures que celles-ci préconisent pour élever le
moral, toutes ses recettes en matière de supervision ne relèvent que de la simple hygiène. Il en est de même de toutes
les politiques de stimulation et d'intéressements financiers,
si généreuses soient-elles. Ce n'est pas les déclarer inutiles :
l'hygiène est d'autant plus nécessaire qu'il n'y a pas de « motivateurs», c'est-à-dire que le travail, parce qu'il est parcellaire,
monotone, etc., offre peu de chance de responsabilité et ne
donne pas matière à autoréalisation.

Mais comment agir sur les motivateurs ? Que l'ouvrage
où les auteurs consignent leur recherche se termine par des
considérations sur l'évolution de l'industrie depuis un siècle
n'étonne guère : sans que le nom en soit prononcé, on est ren-
voyé aux études d'aliénation.

Loin de mettre un terme à l'étude des relations
entre la satisfaction et le rendement, la série de
recherches du *Survey Research Center* de Michigan
ne pouvait que stimuler les travaux pour en préciser
la nature. Passant en revue l'ensemble des inves-
tigations ayant porté sur le sujet depuis 1920,
F. Herzberg conclut qu'il y a probablement une
certaine relation entre les deux. Effectuant exactement le même travail, A. Brayfield et W. Crockett
répondent catégoriquement par la négative. Ces
conclusions contradictoires montrent qu'il est
impossible de répondre de façon claire à une question formulée en termes aussi généraux. Une réponse
précise ne peut être donnée que dans le cadre
spécifique d'une théorie définissant de façon *ad hoc*
le sens des catégories. Il n'y a pas lieu de faire ici
l'inventaire critique de ces résultats et de ces
théories partielles. On se bornera à signaler la
recherche de S. E. Seashore dans la mesure où

elle concerne directement les éléments auxquels se sont intéressées les relations humaines (1). Elle limite, en les précisant, la portée de certaines conclusions. La satisfaction du travailleur à l'égard du groupe vient du sentiment de sécurité que celui-ci lui apporte lorsqu'il est cohésif. L'influence du groupe sur le rendement se traduit dans le fait que les rendements individuels sont moins dispersés dans les groupes cohésifs que dans ceux qui ne le sont pas. Mais la cohésion du groupe, bénéfique pour le travailleur, ne l'est pas nécessairement pour l'entreprise : selon l'attitude du groupe à l'égard de l'employeur, le rendement peut se fixer à un haut ou à un bas niveau.

En revanche, la dernière recherche sur le sujet menée dans la perspective des relations humaines s'est soldée par des résultats négatifs. Cet échec est d'autant plus décevant (mais combien significatif) que le travail avait été mené avec un souci d'opérationalisation et une imagination méthodologique remarquables. Des observateurs sur le terrain relevaient toutes les données, en termes d'interactions, relatives à un groupe de 50 ouvriers. Sur cette base, les chercheurs se livraient à des prédictions en fonction de la théorie des sentiments (satisfaction) et des activités (productivité). Les hypothèses, formulées à partir de la conceptualisation de G. Homans, en termes de justice distributive (équilibre rétribution-contribution) et de cohérence du statut (disparité entre plusieurs éléments du statut personnel) se révélèrent peu pertinentes. Les prédictions réussirent en partie pour

(1) *Group cohesiveness in the industrial work group*, Ann Arbor, 1954.

les sentiments ; elles échouèrent, ce qui était le plus
important, pour la productivité (1).

V. — Les agents de maîtrise
l'apprentissage du commandement

L'une des plus célèbres séries d'expériences de
l'Ecole lewinienne est celle que menèrent, de 1938
à 1952, R. Lippit et R. White auprès des groupes
d'enfants d'un club d'activités dirigées. Il s'agissait
de déterminer l'influence des styles de commandement sur le comportement des individus. Trois
styles de commandement, autocratique, démocratique et laisser-faire ont été distingués à partir
de critères précis, portant sur la façon dont étaient
prises les décisions, déterminées les activités et
les techniques utilisées, réparties les tâches, décidée
la composition des groupes de travail, apprécié
le travail, et sur la participation (ou non) du moniteur aux activités. Si l'on se limite à la comparaison
des groupes dirigés de façon autocratique et de
ceux qui le sont de façon démocratique, on remarque
qu'il y a dans les premiers plus d'hostilité à l'égard
du moniteur et moins de sociabilité entre les membres, plus de compétition et d'agressivité entre
les individus, moins de conscience dans l'accomplissement de la tâche et une plus grande désorgani-
sation en cas de départ du chef. Les innombrables
expériences similaires, réalisées depuis sur des groupes d'adultes, ont confirmé et précisé ces conclusions.
Elles montrent toutes la supériorité du mode de
commandement démocratique sur le mode auto-

(1) A. ZALEZNIK, C. B. CHRISTENSEN et F. J. ROETHLISBERGER,
The motivations, Productivity and satisfaction of workers, Cambridge,
1958.

ritaire quant à l'efficacité du travail réalisé et à la satisfaction des membres du groupe.

Les résultats de ces expériences de laboratoire semblent *a priori* d'autant plus extrapolables à l'industrie (comme à d'autres organisations) qu'elles rejoignent celles auxquelles sont parvenues les relations humaines par leurs méthodes cliniques. La convergence entre ces recherches est apparue suffisamment grande pour servir de base aux programmes destinés à perfectionner les agents de maîtrise dans l'exercice du commandement. La formation prodiguée doit aider les contremaîtres à comprendre sous un angle nouveau les travailleurs et surtout leur apprendre à adopter des comportements adéquats. Etant donnée la place stratégique des agents de maîtrise pour la mise en œuvre des politiques inspirées des relations humaines, le succès de tels programmes est, en dernier ressort, le critère principal de la valeur et de l'efficacité de la doctrine.

Le bilan se révèle médiocre. On a souvent noté qu'après leur stage, les agents de maîtrise, y compris les plus enthousiastes, oubliaient plus ou moins rapidement l'enseignement reçu et revenaient aux routines antérieures.

L'échec peut être attribué au contenu même de l'enseignement donné : celui-ci serait un faux savoir. Cette thèse, que nul ne saurait raisonnablement avancer sous cette forme extrême, peut néanmoins être nuancée : les théories sur lesquelles reposent ces enseignements seraient contestables sur certains points, elles seraient partielles. C'est l'argumentation de Goldthorpe qui, se limitant au problème du conflit, analyse d'une part le très orthodoxe programme de formation des agents de maîtrise de *National Coal Board* et les conditions concrètes de travail dans les mines britanniques (*S.T.*, 1, 1961). La philosophie de cet enseignement est que le succès de l'entreprise repose sur la volonté de ses membres de travailler ensemble en harmonie : le conflit est considéré comme pathologique et évitable ; il est analysé en termes exclusivement psychologiques, comme naissant des relations interpersonnelles, des mauvaises communications, du fait que le chef porion n'informe pas les mineurs des changements et ne prend pas leur avis. Or, étant donnée l'organisation du travail des mines anglaises, il existe notamment pour la détermination des taux de salaire des conflits réels d'intérêts entre les mineurs et les agents de maîtrise. Comme l'ont fait les sociologues des relations humaines et les lewiniens dont il s'inspire, le programme ne distingue pas les conflits d'origine psychologique et ceux qui viennent d'une opposition d'intérêts ; ils réduisent tout conflit aux premiers. On perçoit facilement les conséquences frustrantes, voire néfastes, d'un tel enseignement sur les agents de maîtrise lorsque ceux-ci ne le rejettent pas purement et simplement.

Mais il y a aux résultats médiocres d'autres raisons que les premiers travaux du *Survey Research Center* de Michigan permettaient d'entrevoir, travaux d'autant plus intéressants qu'ils confirment pour l'essentiel le point de vue des relations humaines. Trois caractéristiques sont retenues pour définir les comportements des agents de maîtrise : le degré de différenciation de leur tâche par rapport à celle des travailleurs, leur permissivité (inverse de la *closed supervision*) et leur prise en charge des intérêts des travailleurs. Il s'agit des agents de maîtrise de premier niveau, en contact immédiat avec les travailleurs.

1. Les contremaîtres des groupes à haute productivité sont ceux qui assument le plus de tâches
traditionnellement associées à cette fonction ; ce
sont ceux qui passent le plus de temps à organiser,
à préparer le travail et le moins à faire le travail
eux-mêmes. On remarque d'ailleurs que là où la
productivité est basse et où l'agent de maîtrise
assume peu les fonctions qui lui sont spécifiques,
il y a parfois émergence de leaders informels. C'est
également là où le contremaître est le plus organisateur que la satisfaction des travailleurs à l'égard
de l'entreprise est la plus forte.

2. Mais si les agents de maîtrise les plus productifs
sont ceux qui organisent le plus, ce sont également
ceux qui supervisent de façon moins étroite, ceux
qui délèguent le plus leur autorité. Les agents de
maîtrise de groupes à basse productivité contrôlent
plus souvent, donnent des instructions plus détaillées
et plus fréquentes.

3. Enfin, si l'on oppose l'agent de maîtrise
« orienté vers les hommes », c'est-à-dire essentiellement soucieux de les motiver et de défendre leurs
intérêts et l'agent de maîtrise « orienté vers la production ou l'institution », on note que les agents
de maîtrise productifs sont plutôt « orientés vers
les hommes », orientation généralement associée
à une attitude plus critique de certains aspects
de la politique de l'entreprise.

Mais quelques observations, apparemment mar-
ginales, et se présentant comme un simple supplé-
ment d'information, se révèlent lourdes de conséquences. On remarque, d'une part, que le fait pour
le contremaître de consacrer plus ou moins de
temps aux tâches de préparation du travail est
sans conséquence sur la productivité du groupe,
lorsque dans l'entreprise l'organisation du travail

est très centralisée et que la tâche du groupe le
plus petit est spécifiée dans le détail ; en d'autres
termes, lorsque l'entreprise est organisée selon l'idéal
taylorien. On remarque surtout que les contremaîtres adoptent spontanément le style qu'ils expéri-
mentent avec leurs propres supérieurs, aussi bien
en ce qui concerne la permissivité que l'orientation
vers les hommes par opposition à l'orientation vers
la production. La liberté pour l'agent de maîtrise
d'adopter tel ou tel style est en effet limitée. Cette
limite apparaît nettement lorsque le contremaître
revient après un stage dans son entreprise : le
comportement qu'il a appris, ainsi que le montre
E. Fleishman, entre fréquemment en contradiction
avec ce que ses supérieurs immédiats attendent
de lui. On comprend dès lors l'un des mécanismes du retour fréquent du contremaître à ce
qu'on peut appeler ses anciennes routines. Mais
ce retour n'indique pas nécessairement une simple
décision conformiste ou une fuite facile du conflit
avec ses chefs. Il y entre peut-être plus de sa-
gesse qu'il n'y paraît. Telle est du moins l'une
des conclusions que l'on peut tirer d'une recherche
décisive menée par D. Pelz, également du *Survey
Research Center* de Michigan.

Etudiant sur 10 000 questionnaires les rapports
entre la satisfaction des salariés et le comportement
rigoriste ou non (orienté vers les travailleurs, *versus*
orienté vers la direction) des agents de maîtrise,
les auteurs ont dû introduire une troisième variable :
l'influence de ces cadres dans leur sphère d'autorité,
leur chance de faire accepter leurs recommandations
en matière de promotion par exemple.

Les conséquences du style du contremaître in-
fluent sont conformes à celles qu'enseigne la théorie :
la satisfaction est plus grande lorsque les contre-

maîtres adoptent le style démocratique. Mais lorsque les contremaîtres sont dépourvus de pouvoir, la tendance inverse tend à apparaître : l'orientation favorable aux salariés accroît paradoxalement l'insatisfaction. La satisfaction est plus grande avec le contremaître rigoriste qu'avec celui dont le style démocratique éveille des attentes qu'il n'est pas en mesure de satisfaire.

La conclusion pratique se présente sous forme d'alternatives entre lesquelles il n'est pas possible de trancher *a priori*. Faut-il s'abstenir de donner une formation aux agents de maîtrise dépourvus d'influence ou doit-on et peut-on accorder plus de pouvoir aux contremaîtres ? En introduisant une dimension qui échappe à la plupart des travaux des relations humaines, le pouvoir ou disons plus modestement ici l'influence, cette recherche indique jusqu'à quel point le *problème du commandement d'un groupe ne peut être traité indépendamment de la nature de l'organisation dans laquelle ce groupe opère.*

La recherche sur les agents de maîtrise menée par Alain Touraine et Claude Durand à la Régie Renault indique de la même manière, mais à propos d'un autre aspect de l'organisation, l'importance de cette dernière pour la détermination du comportement adéquat des contremaîtres (*S.T.*, 2, 1970). Cette recherche prend d'ailleurs en considération à la fois des éléments relatifs à l'organisation (le formel) et des éléments relatifs au groupe (l'informel). Les chercheurs ont distingué plusieurs situations en fonction : 1º de la nature de l'organisation du travail : y a-t-il autonomie de l'unité d'exécution par rapport au système central d'organisation du travail (organisation faible) ou au contraire programmation stricte de la production (organisation forte) ? ; et 2º de la cohésion du groupe ouvrier. Dans la situation d'autonomie (organisation faible) le comportement interventionniste est pour les agents de maîtrise le plus efficace ; dans la situation très structurée (organisation forte), c'est au contraire la distanciation à l'égard de l'organisation et l'autonomisme. D'autre part, les contre-

maîtres qui réussissent sont, avec les groupes ouvriers peu
cohésifs, ceux qui ont un comportement intégrateur, et avec
les groupes ouvriers combatifs, ceux qui ont un comportement
réglementaire. C'est en ce double sens que les chercheurs
peuvent parler du rôle « compensateur » de l'agent de maîtrise.

Les relations humaines, en dépit de leurs inten-
tions, se révèlent en effet ne pas avoir étudié
l'organisation, mais bien plutôt les groupes. Mieux
encore, un peu comme Taylor et les théoriciens
classiques de l'administration qui recherchaient
quelques lois universelles concernant l'organisation
indépendamment de leur but et de leur mode d'in-
sertion sociale, les relations humaines recherchaient
quelques lois générales concernant le fonctionnement des groupes (et partant la façon de les traiter
et de les diriger) indépendamment de la nature
des organisations dans lesquelles ils se trouvent.

Cet accent mis sur le groupe explique aussi une
partie de la séduction des relations humaines auprès
des directions. Elle leur laisse espérer un résultat
au moindre coût : celui de pouvoir changer les
comportements des subalternes sans avoir à mettre
en question leurs propres comportements ni leur
organisation.

VI. — Conclusion

Les relations humaines ont été pendant plusieurs
décennies l'objet de débats irritants. Les critiques
les plus radicales dont elles ont été l'objet, convaincantes du point de vue d'une certaine argumentation, décevaient en même temps dans la mesure où
ceux qui les faisaient ne présentaient le plus souvent
aucune solution scientifique. L'éventuelle séduction
d'une argumentation brillante mais inopérationali-
sable et indémontrable ne parvient jamais à faire
oublier les innombrables expériences et démonstra-

tions limitées, précises et modestes, dans l'analyse de détail desquelles ces critiques se sont toujours bien gardées d'entrer. C'est le découpage même de la réalité effectué par les relations humaines qu'elles mettaient par avance en question.

C'est pourtant à un authentique scientifique engagé lui-même dans la recherche, à l'économiste du travail Clark Kerr, que l'on doit la critique la plus vigoureuse des relations humaines. Cette critique a l'avantage de se situer très délibérément sur le terrain idéologique. En effet, le dialogue strictement scientifique n'apparaissait guère possible. Le type d'analyse habituellement fait par Cl. Kerr semble le destiner à ne devoir jamais rencontrer les relations humaines. Dans une de ses études les plus célèbres concernant la grève, par exemple, l'analyse des statistiques, par secteur industriel, depuis le début du siècle et dans de nombreux pays, l'amène à conclure que la propension à la grève est d'autant plus grande que la main-d'œuvre se trouve plus à l'état de « masse isolée » ; c'est ainsi que la propension à la grève est partout et en tout temps la plus élevée dans les mines, qui répondent le plus au concept de masse isolée. Devant une constatation si massive, il ne manque pas de signaler que ce ne peut être la plus ou moins grande aptitude des cadres aux relations humaines qui explique la propension à la grève. Cl. Kerr indique ici une dimension structurelle du problème du conflit qui échappe indéniablement aux relations humaines. Mais cette dimension ne nous indique rien, en réalité, sur ce qu'il faut penser de la théorie des relations humaines relative au conflit, sinon qu'elle n'en tient pas compte : elle ne la met pas fondamentalement en question. C'est comme s'il s'agissait de deux démarches parfaitement parallèles, presque de deux sciences, qui, au lieu de s'affronter ou de s'articuler, se déploieraient dans des champs spécifiques ne laissant aucune place l'une pour l'autre. C'est une négation faite d'ignorance.

La place exceptionnelle qu'il nous plaît d'attribuer à la recherche de D. Pelz vient précisément de ce qu'elle assume l'acquit des relations humaines mais le relativise sur un point précis et montre l'une des articulations majeures à partir de laquelle elle doit s'intégrer à d'autres objets sociaux, dont elle invite à poursuivre l'analyse.

Certaines recherches de W. F. Whyte et plus encore celles de L. Sayles (*Behavior of the industrial work group, prediction and control*, 1958), en mettant en relief le rôle de la technologie sur le comportement des groupes, représentent une démarche somme toute comparable, en ce sens qu'elles dépassent ou incitent à dépasser, tout en conservant l'acquit des relations humaines, le cadre dans lequel celles-ci ont eu tendance à se confiner.

Mais c'est à propos de la bureaucratie qu'apparaît le plus nettement le passage d'une sociologie des relations humaines à une sociologie des organisations.

Chapitre III

SOCIOLOGIE DES ORGANISATIONS

Dans les sociétés contemporaines, les activités humaines (naissance, éducation, travail, loisirs, politique, maladie, mort, etc.) s'effectuent de plus en plus dans le cadre d'organisations. Le développement spectaculaire du nombre d'organisations, le caractère gigantesque de certaines d'entre elles, leur pouvoir, le degré de rationalité interne auquel d'aucunes se trouvent parvenir ont suscité, et à juste titre, certaines inquiétudes. De l'ensemble de ces phénomènes, la bureaucratie (et la bureaucratisation) constitue l'image perverse. C'est l'objet par excellence où se projettent tour à tour et parfois en même temps les craintes apparemment les plus contradictoires : celle de la trop grande puissance et de l'inefficacité. Le non-sens et l'absurdité qui en résulte, en font un objet risible ou tragique selon qu'on est spectateur ou victime. C'est Courteline ou Kafka.

Max Weber a fait de la bureaucratie une analyse qui reste encore le point de départ obligé de toute réflexion et de toute recherche sur le sujet. Il est remarquable que la plupart des traits dont il fait les caractéristiques de la bureaucratie, modèle selon lui d'organisation efficace et rationnelle, se

retrouvent dans le projet des organisateurs et des
théoriciens classiques de l'administration. Elton
Mayo était préoccupé par l' « anomie » consécutive
au mouvement de rationalisation du travail ; le
Charlot du film *Les temps modernes* a plus d'un
point commun avec le K. du *Procès* ; la critique
de la bureaucratie est inscrite implicitement dans
l'acte de naissance des relations humaines. On sui-
vra un courant de réflexion et de recherches sur
la bureaucratie qui, parti des relations humaines,
aboutit à un véritable changement de perspective.
Au départ, l'analyse est centrée sur les comportements des individus (avant tout définis comme
membres de groupes primaires) au sein d'une organisation péchant plutôt par excès que par défaut
de rationalité. A son terme, il s'agit de la bureaucratie elle-même ; elle est conçue comme mode
d'organisation pathologique, mais quasi construit
— en tout cas perpétué et renforcé — par l'action
calculée et rationnelle de ceux qui en sont en
même temps les victimes. Nous sommes dans l'analyse *stratégique* qui redonne aux individus un statut
de décideurs capables d'effectuer des choix ration-
nels. Il est intéressant de noter au passage comment
cette réflexion a pu être menée assez loin en termes
internes, nous voulons dire en faisant l'économie
de ce que négligèrent à la fois l'organisation scientifique du travail et les relations humaines mais
qui se trouve être paradoxalement la clé du problème de la bureaucratie : la question des buts
et du rapport à l'environnement. Une organisation
bureaucratique, en effet, ne peut-elle pas être définie comme une organisation fonctionnant de
façon parfaitement autonome, c'est-à-dire *coupée*
de son environnement et sans référence aux buts et
aux valeurs qui sont sa raison d'être et lui donnent

un sens ? Elle peut être, en ce sens, à la fois trop puissante et inefficace.

Il n'est guère surprenant que Ph. Selznick, auteur d'une analyse sur la bureaucratie mettant plus délibérément l'accent sur les problèmes du pouvoir et du déplacement des buts, proche au total du courant plus politique des études sur la bureaucratie (R. Michels), soit l'un des premiers à proposer pour l'analyse des organisations un cadre et un centre de gravité nouveau : celui de leur « définition » et de leur « redéfinition » permanente dans leur environnement social. L'analyse *institutionnelle* qu'il propose peut être considérée, à certains égards, comme une province de l'analyse *structurelle*. Cette dernière, à la différence des relations humaines, n'est plus centrée sur le comportement des groupes au sein de l'entreprise. Elle porte sur l'organisation elle-même ; elle cherche, sans préoccupation normative, à rendre compte de sa structure et de ses caractéristiques en fonction de ses buts, de son environnement et de sa technologie. Nous présenterons dans le chapitre suivant un cas exemplaire d'une telle démarche.

On trouvera donc mentionnées ici diverses façons d'aborder aujourd'hui l'organisation : l'analyse stratégique, institutionnelle, structurelle. On aurait pu en signaler d'autres. On retiendra moins la spécificité de chacune d'elles, souvent moins éloignées les unes des autres qu'il ne paraît, que l'élargissement du champ d'analyse que, dans l'ensemble, elles indiquent. La dette de chacune à l'égard des théoriciens classiques de l'organisation et à l'égard des relations humaines est variable. Tous en font la critique. C'est, on le sait, dans le domaine de la science, la manière de rendre hommage à ceux dont on montre par là qu'on est issu de quelque manière.

Nous n'avons pas entrepris dans le cadre de cette publication la sociologie des catégories sociales engagées dans le travail industriel (ouvriers, employés, cadres...). Si nous sommes amenés à parler ultérieurement des ouvriers, c'est uniquement dans la mesure où il s'agit d'une préoccupation centrale pour le courant que nous analyserons et qu'il se trouve avoir suggéré à ce propos des analyses originales et donné peut-être à ce sujet le meilleur de lui-même. Il nous paraît cependant utile d'indiquer ici que, parallèlement à cette préoccupation nouvelle pour la sociologie des organisations, s'est développé un intérêt pour l'étude des dirigeants. Aux Etats-Unis, grâce aux historiens, cet intérêt est déjà plus ancien et donc la connaissance accumulée sur le sujet plus grande. L'étude des chefs d'entreprise français a cessé d'être, comme elle le fut un moment, l'apanage des sociologues américains. On mentionnera les travaux empiriques d'O. Benoît sur les chefs d'entreprises moyennes (1969). Dans les pays du Tiers Monde, le problème crucial du développement a fait que l'intérêt des chercheurs, y compris de ceux que leur tempérament et leur idéologie auraient plus volontiers conduit, en d'autres lieux, à s'intéresser aux travailleurs, s'est porté d'emblée sur les industrialisateurs. Les travaux du sociologue brésilien F. H. Cardoso dominent de beaucoup la masse des études descriptives, souvent fâcheusement impressionnistes. Dans les sociétés latino-américaines sur lesquelles portent ses analyses, le problème des entrepreneurs devient un révélateur social et donne à sa théorie les dimensions que, dans d'autres sociétés, des sociologues s'efforcent de rechercher en partant de l'analyse de la classe ouvrière ; dans les pays d'économie dépendante, cette sociologie se révèle être une sociologie de la domination.

I. — La bureaucratie

1. Le type idéal de la bureaucratie selon Max Weber. — Max Weber distingue, selon le type de légitimité qui les fonde, trois types de pouvoir : le pouvoir traditionnel, le pouvoir charismatique et le pouvoir rationnel-légal. Cette distinction vaut aussi bien au niveau des sociétés qu'à celui, qui nous intéresse ici, des organisations particulières. Le système d'administration bureaucratique est le mode d'organisation correspondant à l'autorité rationnelle légale.

A) Dans le système d'autorité rationnel-légal, chaque corps de loi consiste en un *système de règles abstraites* ; l'administration n'est rien d'autre, à la limite, que *l'application de ces règles à des cas particuliers.* Le détenteur de l'autorité est lui-même soumis à un ordre impersonnel auquel il se réfère dans l'exercice de son commandement. Les subordonnés ne lui obéissent pas en raison de son individualité ou de sa personnalité : ils obéissent à un ordre impersonnel. Il n'y a *obligation d'obéissance de leur part qu'à l'intérieur de la sphère d'autorité définie rationnellement.* Pour illustrer, dans le domaine de l'industrie, ce trait du système bureaucratique, on peut l'opposer à l'une des caractéristiques fréquentes du système paternaliste où les conduites privées des salariés peuvent être l'objet de jugements et de sanctions de la part de leurs supérieurs. L'un des traits du système bureaucratique est, au contraire, que le travailleur n'est jugé et sanctionné (rémunération, promotion, renvoi, etc.) qu'en fonction de l'accomplissement de la fonction ou de la tâche précise qui lui est assignée dans l'organisation. Plus exactement, des aspects de la vie privée peuvent être éventuellement l'objet de jugements et de sanctions, mais ils ne peuvent l'être que dans la mesure où l'on précise bien à l'avance, de façon formelle, les comportements privés qui sont soumis à des règles précises ; il n'y a pas de place pour le jugement discrétionnel des supérieurs, pour l'innovation en fonction des circonstances ;

B) C'est dire qu'il y a une sphère spécifique des compétences, des droits, des obligations, en d'autres termes une *division de travail* systématique, précise et poussée ;

C) Il existe une *hiérarchie des fonctions*, « un système bien ordonné de domination et de subordination dans lequel chaque poste se trouve sous le contrôle d'un poste supérieur. Un tel système permet aux sujets d'en appeler éventuellement contre une décision d'une autorité inférieure auprès de l'autorité hiérarchique de cette dernière, selon une procédure établie une fois pour toutes » ;

D) « Les règles régissant la conduite d'un poste peuvent être des règles techniques ou des normes. Dans les deux cas, pour que leur application soit parfaitement rationnelle, il faut *une formation spécialisée*. » Ainsi par opposition à des systèmes où le contenu des emplois est flou et où l'accès à ces emplois dépend de critères de type particulariste (népotisme, clientèle, etc.), l'occupation d'un poste repose sur une compétence bien définie et les candidats y accèdent sur la base de leur qualification, *l'examen* étant un élément typique et un produit de la bureaucratie ;

E) Dans le type rationnel, c'est une question de principe que les membres de l'état-major administratif ne soient pas propriétaires des moyens de production ou d'administration ; ceci pour éviter que des exigences extérieures à celle des fonctions administratives proprement dites puissent influer sur la conduite de ces dernières ;

F) La bureaucratie met l'accent sur la procédure écrite : les actes administratifs, les décisions et les règles sont formulés et enregistrés par écrit.

Telles sont les principales caractéristiques de la bureaucratie selon M. Weber, en tout cas les plus retenues dans les analyses ultérieures. Bon nombre de ces dernières, se limitant à l'aspect descriptif, se sont posées la question de l'unicité du concept et ont cherché à tester jusqu'à quel point les traits retenus pouvaient être considérés comme des dimensions habituellement associées (1).

A côté de ces propositions de type descriptif, Max Weber émet un certain nombre de propositions explicatives. Il émet surtout, mêlés à ces deux types de propositions, des jugements normatifs. La raison la plus décisive du développement de la bureaucratie serait, en effet, son incontestable *supériorité*, d'un point de vue technique, sur toute autre forme d'organisation. « Un mécanisme bureaucratique pleinement développé est exactement dans le même rapport avec les autres types d'organisation qu'une machine avec des moyens non mécaniques de production. » L'une des raisons de sa supériorité est qu'elle permet une exécution objective, c'est-à-dire *selon des règles calculables sans rapport avec les individus*. Elle est efficace parce que déshumanisée, impersonnelle.

Par-delà des distinctions de détail, on ne peut qu'être frappé par la parenté entre le schéma de Weber et l'esprit animant les rationalisateurs classiques. Si le mode d'organisation pré-

(1) Voir notamment R. H. HALL, *American Journal of Sociology*, juillet 1963 et G. BENGUIGUI, *S. T.*, 2, 1970.

conisé par ces derniers est *supérieur* à d'autres, s'il est plus *efficace*, c'est uniquement parce qu'il permet un plus grand contrôle, une *forte prévisibilité*. Or cette prévisibilité, obtenue par la règle, la standardisation est inséparable de l'*impersonnalisation*, de la *déshumanisation*.

2. L'apport des relations humaines.

— Il est aisé, à la lumière du chapitre précédent, d'imaginer de quelle façon les relations humaines devaient spontanément aborder le problème de la bureaucratie. Celui-ci s'inscrit par excellence dans le cadre d'une théorie fondée sur le jeu entre les éléments d'une dichotomie tranchée : organisation formelle/organisation informelle. La bureaucratie, c'est le formel ; la pratique bureaucratique est l'accent mis sur le formel. Elément constitutif nécessaire de l'organisation au même titre que l'informel, le formel n'est interrogé ni sur son origine, sa genèse, ni sur sa rationalité ; il n'est mis en question et déclaré pathologique que dans la seule mesure où il oublie qu'il n'est pas le seul élément. La recherche a donc surtout consisté dans un premier temps à démontrer ou rappeler qu'une organisation bureaucratique ne fonctionne pas selon les schémas impersonnels sous lesquels elle se présente, et qu'il est impossible, et non souhaitable, qu'il en soit ainsi.

Elle ne fonctionne pas selon ses propres règles, en ce sens que les communications ne circulent pas selon le schéma prévu, mais selon d'autres canaux et d'autres modalités. Il existe des leaders informels dont l'autorité de fait est plus grande que celle de certains qui détiennent l'autorité de droit. Comme le montrent de nombreuses analyses du fonctionnement du salaire au rendement, à commencer par celle de la Western Electric, les travailleurs s'entraident là même où les règlements l'interdisent. P. Blau a étudié le fonctionnement d'un service de

justice fédéral, chargé d'examiner les dossiers des
entreprises, pour déceler s'il y avait eu des infrac-
tions aux lois. Le règlement stipulait que si un agent
se trouvait embarrassé devant un dossier, il devait
en référer à son supérieur. Si ce dernier ne pouvait
résoudre le problème, il autorisait cet agent à
consulter un expert juridique. La consultation directe avec l'expert ou les consultations mutuelles
entre agents étaient interdites. En réalité, les agents
étant réticents à montrer à leur supérieur leurs
difficultés ; une pratique de consultations mutuelles
s'était instaurée, dont P. Blau analyse la complexité et les implications (*Dynamics of bureaucracy*, 1955).

Il est impossible qu'il en soit autrement. L'administration bureaucratique n'est rien d'autre que l'application de la règle « à des cas particuliers ». Mais
si minutieux que puisse être un règlement, il existe
peu de situations où des cas particuliers et des im-
prévus ne nécessitent le recours à des « décisions ».
Or ces décisions, par définition, doivent être prises
en fonction de critères ou de valeurs extérieures aux
normes officielles du système bureaucratique : critères essentiellement techniques dans les activités de
fabrication, critères ou valeurs techniques ou autres
dans les autres services ou dans des organisations
non industrielles.

Il n'est pas souhaitable, enfin, qu'il en soit ainsi :
ceci non pas pour de simples raisons humanitaires,
mais pour des raisons d'efficacité. La grève du zèle,
forme de sabotage consistant dans l'application
scrupuleuse des règlements, en est l'ironique démons-
tration. C'est souvent la liberté prise à l'égard des
règlements qui permet le fonctionnement optimal
d'une organisation.

Dans le service étudié par P. Blau, le système

informel de consultations mutuelles — système formellement interdit — se révèle particulièrement efficace : il permet des décisions plus éclairées de la part des agents. Chacun, sachant qu'il peut trouver assistance en cas de besoin est moins anxieux pour prendre des décisions. Ce système renforce la confiance en soi de ceux qui sont le plus souvent consultés. Une autre étude de P. Blau, portant sur un bureau de placement, indique de façon presque plus claire encore le profit que peut tirer une organisation de la distance que prennent ses membres à l'égard des règles, en s'organisant informellement.

L'une des conclusions pratiques de telles études pourrait être que dans les systèmes bureaucratiques les règlements doivent être suffisamment souples pour permettre les initiatives des individus et des groupes. Cette souplesse est une condition à la fois de l'efficacité et du changement dans le système de règles. De même que dans l'ordre juridique la pratique précède souvent les lois, les innovations informelles permettent un réajustement du formel. Cette conclusion paraît néanmoins relever du vœu pieux. L'une des caractéristiques de la bureaucratie, si l'on se réfère au sens péjoratif généralement donné à ce terme, n'est-elle pas justement son inaptitude à laisser place à ces initiatives ?

3. Le cercle vicieux bureaucratique. — Un pas décisif est en effet franchi, lorsque, au lieu d'être considérée comme une organisation où les devoirs et les droits de chacun sont expressément définis, les statuts, les hiérarchies, les sphères d'autorité nettement précisés, les règles de préférence écrites, etc. — mais qui, pour bien fonctionner doit laisser quelque souplesse —, la bureaucratie est considérée comme un *processus* : c'est un type de fonctionnement des organisations où l'accent mis sur les règles a précisément et paradoxalement pour résultat, du fait des dysfonctions qu'il occasionne, de *renforcer les règles*. C'est l'analyse du fameux cercle vicieux qu'ont abordée, chacun à leur manière, Robert K. Merton d'abord, dans un court article (1940), puis R. Dubin (1949), Philip Selznick (1949), Alvin W. Gouldner (1954) et, en France, Michel Crozier (1963).

A) *R. K. Merton.* — Robert K. Merton conserve, au départ, l'idée weberienne de la bureaucratie comme type d'organisation rationelle et efficace. Mais les éléments destinés à assurer l'efficacité sont ceux-là mêmes qui produisent l'inefficacité. La façon dont est conçue la carrière des bureaucrates incite ces derniers à mettre à l'excès l'accent sur la prudence, la discipline et la méthode. Ils deviennent ritualistes. Les règles, *de moyens*, deviennent des *fins*.

D'autre part, il tend à se développer entre les bureaucrates régis par les mêmes conditions de travail un esprit de corps allant à l'encontre des changements. Les normes impersonnelles créent un fossé avec le public. L'inefficacité qui en résulte a pour conséquence de renforcer encore l'esprit de corps et le ritualisme, le retrait derrière le règlement.

B) *A. W. Gouldner.* — Alvin W. Gouldner analyse le développement de la bureaucratie dans une mine de gypse, à la suite de sa prise en charge par un nouveau directeur.

Il régnait auparavant dans cette mine un climat bon enfant. Les travailleurs et les agents de maîtrise entretenaient des relations égalitaires, se voyaient hors du travail, au saloon, au restaurant, au bowling. Les cadres n'étaient pas toujours sur le dos des travailleurs, ils leur faisaient confiance. La direction avait pour principe de laisser à chacun sa seconde chance. En cas d'accident du travail, la victime était mutée à la salle des échantillons, qui jouait en quelque sorte le rôle d'un hôpital. Les travailleurs pouvaient récupérer quelques produits de l'usine pour leur usage personnel ; les règles étaient appliquées avec souplesse. La pause casse-croûte se faisait à l'initiative des travailleurs et l'on n'en était pas à cinq minutes près.

A ce mode de direction bon enfant, le nouveau directeur met rapidement un terme. La prise en main commence par le renvoi, après douze ans de service, d'un ouvrier qui a pris de la dynamite pour aller à la pêche : il en avait demandé l'autorisation, comme il était autrefois d'usage, au contremaître. Le nouveau directeur entend par là faire un exemple et montrer ce qui attend les travailleurs qui persisteraient à adhérer aux vieux modèles informels. Le vieux directeur du personnel et de la sécurité est rétrogradé à ses fonctions de contremaître ; la politique d'embauche est transformée : au recrutement en fonction de critères informels (relations personnelles, appartenance à la communauté paysanne) succède un recrutement en fonction du seul critère de rendement. Les notes d'avertissement se multiplient. Les règles sont renforcées, notamment en matière d'absentéisme. Il est mis fin à l'utilisation de la salle d'échantillons comme « hôpital ».

Il s'agit bien là de bureaucratisation. En effet, les règles formelles, auparavant ignorées, sont remises en usage et de nouvelles les complètent. L'accent sur la hiérarchie et le statut détruit les vieux liens informels. Les distinctions entre propriété de la compagnie et propriété privée, entre-temps de travail et temps personnel, prennent plus d'importance. En réalité, la bureaucratie se développe de façon très inégale. Elle s'instaure beaucoup plus facilement à la surface que dans le fond de la mine où les travailleurs forment des groupes informels à forte solidarité.

Après avoir analysé les raisons qui ont conduit le nouveau directeur à adopter cette politique, l'auteur en déduit les fonctions des règles bureaucratiques. Il en distingue cinq.

a) *Elle explique, elle spécifie.* — Les règles sont l'équivalent fonctionnel d'ordres directs, donnés personnellement. Le soin avec lequel elles sont habituellement édictées leur confère une grande précision. Elles sont un instrument commode par le chef soucieux de ne pas se compromettre et d'éviter les responsabilités. Dans le fond, où la solidarité est plus grande, lorsqu'un ordre est donné, celui qui est le plus près l'exécute spontanément. A la surface, le chef doit préciser à qui l'ordre s'adresse. Les règles bureaucratiques tendent à se développer surtout là où aucun moyen, comme le groupe informel, ne permet d'attribuer des responsabilités concrètes et de spécifier des devoirs individuels.

b) Elle sert d'*écran*, de garantie. — La règle est un substitut à la répétition d'ordres. Une fois que l'obligation a été incorporée dans une règle, le subordonné ne peut plus s'excuser en prétextant que le chef a omis de lui dire ce qu'il fallait faire. L'existence d'une règle permet donc de réduire le nombre et la durée des relations directes entre chef et subordonné. En masquant le pouvoir supérieur du chef qui porterait atteinte aux normes égalitaires, la règle est un soutien impersonnel à son autorité.

c) Elle permet le *contrôle à distance*. — L'ingénieur de sécurité de la compagnie doit faire des tours de contrôle dans chaque entreprise. Si chaque entreprise ou chaque département a sa propre manière d'assurer sa sécurité, l'ingénieur ne peut se faire un jugement, à moins, ce qu'il veut éviter, d'avoir une plus grande confiance dans les directions locales.

d) Elle *légitime les sanctions*. — Il est interdit aux chefs de se montrer agressifs. Ce tabou est plus grand dans les services de surface qu'au fond de la mine. La règle permet de légitimer les sanctions.

e) Elle peut *servir de marchandage*. — Ces règles ne sont pas nécessairement appliquées de façon stricte. Le chef satisfait de ses hommes peut se montrer indulgent et s'assurer ainsi leur coopération informelle. Ainsi, même non appliquée, par sa simple

existence, la règle est, en tant qu'instrument de né-
gociation, un soutien du pouvoir du chef.

f) Elle *permet l'apathie*. — En spécifiant le mini-
mum acceptable, elle permet au travailleur apathique de faire juste ce qui est nécessaire pour être
quitte. Faute de modifier les attitudes, elle guide le
comportement ; elle permet, au chef aussi bien qu'au
subordonné, d'agir sans « participer », sans s' « engager », sans devoir être impliqué.

Cette dernière fonction n'est pas la moins impor-
tante. C'est un élément crucial du cercle vicieux.
Elle explique pourquoi les règles bureaucratiques, ne
résolvant pas sur un point le problème qu'elles
étaient destinées à résoudre, il en résulte un besoin
d'en édicter de nouvelles. Les différentes fonctions
des règles bureaucratiques indiquent suffisamment
en effet qu'elles sont destinées à résoudre les tensions résultant de la supervision étroite *(close supervision)* dans une culture ou une communauté attachée aux normes égalitaires. Elles y parviennent.
Mais l'économie d' « engagement » qu'elles permettent perpétue le problème auquel la *close supervision* a précisément pour but de remédier : l'apathie.

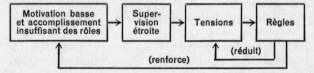

On passe, avec cette étude, de l'analyse du seul
fonctionnement à celle des causes de la bureaucratie. Ici, « les ratés du système, comme l'indique
M. Crozier, ne sont plus des dysfonctions mais des
fonctions latentes ». C'est la présence, au sein d'une
organisation, de certaines tensions qui engendre les
règles bureaucratiques. Celles-ci prolifèrent lorsque

la direction manque de confiance non seulement à l'égard des travailleurs mais des cadres ; lorsque, en raison de perturbations dans le système informel, celui-ci n'est plus en mesure d'attribuer à chacun ses responsabilités ; lorsque, enfin, dans une culture égalitaire apparaissent des distinctions de statut peu légitimées.

Alvin W. Gouldner attache une importance à la distinction, bureaucratie *représentative*, bureaucratie *punitive*. Dans les deux cas, les règles sont édictées par l'un des groupes en présence (travailleurs, direction) lorsqu'il considère que l'autre manque à ses devoirs. Mais dans le type *représentatif*, le manquement est attribué à l'ignorance ou à la simple négligence : il y a entre les parties accord sur le fond. L'exemple donné est celui des règles de sécurité. Ce type correspond, nous dit l'auteur, à la notion weberienne de bureaucratie comme administration des *experts*. Dans le type *punitif*, à l'inverse, la déviance est attribuée à une intention délibérée de l'autre. Loin de se fonder sur le consentement mutuel, la règle est édictée parce que ce consentement fait précisément défaut. Le renforcement de la règle se fait toujours en faveur de l'un et à la défaveur de l'autre. La règle peut être utilisée par les deux parties, il convient en effet de le souligner. La règle d'ancienneté pour l'attribution d'un poste vacant est un exemple de règle bureaucratique, édictée par et au profit du groupe ouvrier.

C) *Michel Crozier*. — Michel Crozier, partant d'une enquête d'attitudes au travail, a étudié la bureaucratie dans deux organisations à cet égard exemplaires : une agence comptable et un monopole industriel. Son analyse doit beaucoup à celle de ses prédécesseurs. Elle s'en distingue néanmoins sur un point capital. Alors que ces dernières restaient imprégnées par le mode de pensée et les catégories des relations humaines, il adopte avec l'analyse stratégique une démarche qui implique une rupture totale. L'analyse stratégique « propose une nouvelle version de la rationalité qui permet d'intégrer à la fois le fonctionnement formel, ouvert, apparent des organisations et les rapports informels entre les membres. Elle suppose, comme la théorie classique, l'existence d'un agent rationnel. Mais au lieu d'un agent passif, répondant de façon stéréotypée aux choix dans lesquels on l'a enfermé, il s'agit d'un agent libre, ayant sa propre stratégie et pouvant donc, si nécessaire, jouer sur plusieurs tableaux pour échapper au choix qu'on lui impose ».

Quatre traits principaux permettent de rendre compte de la rigidité des routines observées par M. Crozier dans les deux organisations.

a) *L'étendue du développement des règles impersonnelles*. — Dans les deux organisations, qu'il s'agisse de la tâche journalière ou de la carrière de chacun (application presque automatique des règles d'ancienneté), rien n'est laissé à l'arbitraire et à l'initiative individuelle. Le chef perd donc tout pouvoir sur ses subordonnés ; son rôle se borne à contrôler l'application des règles. Mais il est du même coup, lui aussi, protégé contre les pressions de ses subordonnés.

b) *La centralisation des décisions*. — « Si l'on veut sauvegarder les relations d'impersonnalité, il est indispensable que toutes les décisions qui n'ont pas été éliminées par l'établissement des règles impersonnelles soient prises à un niveau où ceux qui vont en avoir la responsabilité soient à l'abri des pressions trop personnelles de ceux qui seront affectés par ces décisions. » La pression en faveur de l'impersonnalité engendre inévitablement la centralisation, c'est-à-dire aussi la prise de décision par ceux qui ne connaissent pas directement les problèmes qu'ils ont à trancher.

Dans l'agence comptable, les chefs de division doivent prendre des décisions sur de nombreux problèmes mineurs et jusqu'à l'autorisation pour les employées de s'absenter à l'occasion d'un enterrement ou d'une fête. Pour être en mesure de prendre des décisions pertinentes, ils doivent s'informer auprès des chefs de section. Mais l'information que leur donnent ces derniers est le plus souvent faussée et tronquée : ceux-ci ont intérêt à la présenter sous un jour qui leur soit favorable. Ceci explique que les employées rejettent leurs difficultés sur leur chef de division, mais se montrent en revanche bienveillantes à l'égard de leur chef de section. Ce modèle se répète lorsqu'on monte la hiérarchie : les chefs de section se montrent compréhensifs à l'égard des chefs de division tandis qu'ils critiquent l'échelon supérieur auquel ils n'ont pas directement affaire. Faute d'efficacité, ce modèle constitue une solution confortable pour les rapports entre les échelons en contacts immédiats.

c) *L'isolement de chaque catégorie hiérarchique et la pression du groupe sur l'individu*. — Les deux traits précédents ont pour conséquence l'isolement de chaque catégorie hiérarchique. L'organisation est composée de strates superposées communiquant peu entre elles. Cet isolement des strates est inséparable de la pression des pairs, seul facteur de régulation des comportements en dehors des règles. Cette pression engendre le ritualisme qui, dans un système bureaucratique, est plus « payant » pour chacun qu'il ne l'est dans un autre système.

d) *Le développement de relations de pouvoir parallèles*. — Les règles, si développées soient-elles, n'éliminent pas toutes les sources d'incertitude. Les individus qui contrôlent ces dernières se trouvent dès lors détenir un pouvoir au sein de l'organisation et un pouvoir d'autant plus grand que les zones d'incertitude y sont moins nombreuses. Dans le monopole, l'arrêt très fréquent des machines, seul événement important qui ne puisse être prédit à l'avance et pour lequel on n'a pu imposer des règles impersonnelles, confère aux ouvriers d'entretien cette sorte de pouvoir. Il explique leur rivalité avec les chefs d'ateliers, leurs supérieurs hiérarchiques impuissants à leur égard.

M. Crozier résume ainsi le cercle vicieux :

« La rigidité avec laquelle sont définis : le contenu des tâches, les rapports entre les tâches et le réseau des relations humaines nécessaires à leur accomplissement, rend difficiles les communications des groupes entre eux et avec l'environnement. Les difficultés qui en résultent, au lieu d'imposer une refonte du modèle, sont utilisées par les individus et les groupes pour améliorer leur position dans la lutte pour le pouvoir, au sein de l'organisation. Ces comportements suscitent de nouvelles pressions pour l'impersonnalité et la centralisation, car l'impersonnalité et la centralisation offrent, dans un tel système, la seule solution possible pour se débarrasser des privilèges abusifs que ces individus et ces groupes ont acquis. »

La bureaucratie peut être ainsi définie comme « un système d'organisation incapable de se corriger en fonction de ses erreurs et dont les dysfonctions sont devenues un des éléments essentiels de l'équilibre ». Le changement, la réadaptation à l'environnement ne peuvent s'y faire que par crises.

II. — Le rapport à l'environnement

Dans un ouvrage stimulant, intitulé *Leadership in administration*, Philip Selznick faisait, en 1957, la double constatation qu'un nombre assez substantiel de connaissances avaient été accumulées sur les organisations, mais que cette connaissance était d'une utilité pratiquement nulle pour les responsables de grandes organisations. Elles portent sur les moyens d'augmenter l'efficacité, d'améliorer les communications sur les modes de commandement, etc. Si elles se révèlent si peu pertinentes pour guider les dirigeants des grandes organisations, ce n'est pas tellement parce que les décisions qu'ont à prendre ces derniers sont particulièrement complexes ; c'est parce qu'elles relèvent d'une autre logique. La logique de l'efficacité — et l'on peut inclure ici dans la logique de l'efficacité tout ce qui concerne le fonctionnement interne harmonieux et adéquat d'une organisation — a d'autant plus de sens que l'on a affaire à des unités plus subordonnées, ou en tout cas à des unités dont les responsabilités et les tâches sont clairement définies. Le problème que doit affronter le dirigeant est d'un tout autre ordre. C'est celui de l'évolution de l'organisation qu'il dirige, en fonction de son environnement, c'est celui de la définition et de la redéfinition de ses buts.

Une science susceptible d'éclairer les décisions de ces responsables suppose que soit jeté sur les entreprises (ou les hôpitaux, les universités, les partis politiques, etc.) un regard différent ; qu'au lieu de les analyser en tant qu'*organisations*, on les analyse en tant qu'*institutions*. Etudier une entreprise comme *organisation*, c'est étudier son système formel de règles et d'objectifs, ses tâches, ses méthodes, bref c'est l'étudier comme outil rationnel destiné à faire un certain travail, comme instrument servant à mobiliser les énergies humaines en vue d'une fin donnée. L'étudier comme *institution*, c'est l'étudier comme un organisme s'adaptant et changeant, comme le produit naturel de besoins sociaux, de pressions.

C'est l'étudier dans son expérience spécifique, dans son histoire, analyser par quels processus souvent inconscients elle est parvenue à se définir et à légitimer idéologiquement son existence. C'est étudier son « caractère ». Ph. Selznick utilise à dessein ce terme psychologique. Poussant plus loin l'analogie, il établit un parallélisme entre, d'une part, l'analyse classique des organisations et la perspective des psychologues étudiant les processus psychologiques de routine, et d'autre part, l'analyse institutionnelle et celle des psychologues cliniciens intéressés par le développement émotionnel et la structure du caractère. Les points de vue de l'analyse institutionnelle et de la psychologie clinique peuvent être mis en correspondance terme à terme. Le caractère est également pour le psychologue un *produit historique* (il reflète le développement historique de l'individu et lui donne son caractère unique), c'est un produit *intégré* (il y a une « structure » du caractère, c'est un modèle d'organisation de l'ego), *fonctionnel* (c'est le produit d'une adaptation, mais non pas d'une adaptation passive) et *dynamique* (il engendre de nouvelles tensions, de nouveaux besoins).

Il s'agit bien évidemment d'une perspective d'analyse. Cela veut dire que le choix entre l'analyse organisationnelle et l'analyse institutionnelle ne dépend pas de la spécificité de l'entreprise, mais qu'une même entreprise peut être analysée selon les deux points de vue. Néanmoins, si toutes se prêtent à titre égal à l'analyse organisationnelle, certaines se prêtent plus que d'autres à l'analyse institutionnelle. Une organisation aux fonctions bien définies et acceptées à l'intérieur et à l'extérieur peut, à la limite, se passer de *leadership* institutionnel. Mais il est rare qu'au bout d'un certain temps celui-ci ne se révèle pas nécessaire. Il s'impose dès qu'une organisation est soumise à de fortes tensions internes et/ou externes. Il s'impose par définition dans les entreprises de pointe, innovatrices. Dans de telles situations, le risque de loin le plus grave pour l'existence d'une organisation n'est pas le choix d'une mauvaise politique, mais l'absence de définition d'une politique, l'absence de *leadership* institutionnel.

L'analyse institutionnelle doit porter sur les décisions critiques (par opposition aux décisions de routine). Est critique toute décision portant sur ce qui contribue à façonner les valeurs clés de l'organisation, et notamment sur la distribution du pouvoir, qui affecte ces valeurs : recrutement des membres (faut-il par exemple choisir un dirigeant plutôt orienté vers les problèmes de vente, de recherche ou de production ?), formation du personnel, représentation des groupes d'intérêt internes à l'entreprise, coopération avec d'autres organisations (accords, fusions, absorptions, etc.).

Nous voilà dans un tout autre domaine que ceux précédemment envisagés, et sur un terrain faisant appel à des catégories bien différentes de celles auxquelles les relations humaines nous avaient habitués : *buts*, *stratégie*, *tactique*, *environnement*, *pouvoir* (dans le sens le plus fort du terme, celui de la science politique), *groupes d'intérêt*, etc.

On ne donnera que quelques exemples succincts, à titre indicatif, qui éclaireront la façon dont ont pu être analysées ces nouvelles variables et la manière dont elles peuvent s'articuler entre elles ou avec d'autres caractéristiques de l'organisation (1).

(1) Lucien Karpik, le seul sociologue français ayant entrepris un travail au cœur de cette perspective, présente dans son schéma d'analyse d'une recherche sur la politique des entreprises de pointe une mise en forme suggestive et originale de ces variables.

Concernant, par exemple, l'environnement, F. L. Emery et E. L. Trist (*S.T.*, 4, 1964) distinguent quatre types de trames causales.

1. Un environnement au repos, où les éléments du milieu pertinent pour l'organisation sont disposés au hasard. C'est l'équivalent du marché de l'économie classique. La stratégie se confond ici avec la simple tactique ; 2. Un environnement, toujours au repos, mais où les éléments sont groupés en agglomérats ; c'est, en économie, la compétition imparfaite. La stratégie se distingue de la tactique et consiste à déterminer la location optimale. Sur le plan de la structure de l'organisation, cette situation tend à requérir un contrôle et une coordination centralisée ; 3. Un environnement comprenant des organisations rivales et correspondant au marché oligopolitique des économistes. La stratégie de chacun doit tenir compte des réponses possibles des autres. Entre la stratégie et la tactique apparaît un niveau intermédiaire, l'*opération*, dans le sens que donnent à ce terme les théoriciens militaires. L'impératif de souplesse a sa traduction sur le plan de l'organisation dans une certaine décentralisation qui permet, en des points périphériques, des réponses rapides et meilleures ; 4. Ce milieu a sa dynamique propre, le domaine d'incertitude pertinente s'accroît. L'orientation par les valeurs prend de l'importance, c'est alors qu'un *leadership* institutionnel s'impose : l'institutionnalisation est une condition préalable de la stabilité.

Le problème difficile des buts, lui, est rendu plus clair si, se rendant à l'évidence, on refuse les fausses abstractions. Ce ne sont pas les organisations, mais les individus et les groupes qui peuvent avoir des buts. Il y a donc toujours pluralité de buts. Le problème de décider ce qui doit être appelé

buts et moyens devient, dès lors, dépourvu de sens.
Ce qui est moyen à un moment donné peut devenir
but à un autre moment (ou l'inverse), et ce qui est
but pour les uns est un moyen pour les autres.
Pour la société, le but d'une entreprise sidérurgique
est de produire des biens indispensables ; pour le
client, de lui fournir telle qualité de produit dans
telles conditions ; pour le capitaliste, d'en recevoir
de gros dividendes ; pour la direction générale, d'en
faire une organisation efficace et stable, etc. En
tenant compte de tous ces faits, Ch. Perrow a
proposé une typologie utile des buts, essentiellement
fondée sur les groupes de référence impliqués.
Empruntant ses exemples à l'industrie, il a indiqué
les contradictions entre certains buts (1970).

L'étude des changements des buts d'une organisation est désormais classique. Il n'est pas étonnant que le courant politique des analyses de la
bureaucratie (R. Michels, Ph. Selznick) en ait
fourni les premiers exemples ; il est impossible de
dissimuler ici le problème du pouvoir, comme cela
a été longtemps le cas en sociologie industrielle.
Ch. Perrow est lui-même l'auteur d'une monographie
montrant comment dans un hôpital, en réponse à
des changements dans la technologie et la demande,
le pouvoir passant successivement des financiers aux
médecins et aux administrateurs, les buts changent.

C'est ici qu'il convient de mentionner l'étude
magistrale de Chandler qui, cherchant par une
analyse historique comparative à expliquer l'apparition de la structure moderne décentralisée, a
été conduit à faire l'histoire institutionnelle de
quelques firmes géantes. C'est la stratégie dans
le temps d'une firme qui détermine sa structure,
et leur commun dénominateur est l'application
des ressources à la demande des marchés.

Nous sommes dans ce qu'on appelle l'analyse structurelle, celle qui s'efforce de rendre compte de la structure des organisations, on serait tenté de dire du formel, en fonction notamment de leur environnement, de leurs valeurs, de leurs buts, de leur technologie. Par rapport aux démarches présentées dans les chapitres précédents, le champ s'est incontestablement déplacé : l'objet est autre. Ce déplacement a néanmoins d'importantes conséquences sur la façon dont doivent être désormais traités les objets que privilégiaient les démarches antérieures.

Disons, de façon simplifiée, car on y reviendra plus loin, que les théoriciens classiques de l'administration préconisaient pour l'organisation certaines structures, indépendamment de leur finalité. L'analyse structurelle indique que, selon les éléments que nous mentionnons, cette structure ne sera pas et ne devra pas être la même. On ne peut raisonnablement être *a priori* en faveur de la centralisation ou de la décentralisation, d'une division poussée ou non du travail.

Vis-à-vis des relations humaines, c'est l'abandon radical du projet sous-jacent de cette dernière de réconcilier bonheur et rendement. Le nouveau point de vue permet de comprendre l'inanité des recherches sur la satisfaction et la productivité et la raison de leurs échecs. Il indique les contraintes inhérentes aux organisations, contraintes plus évidentes lorsque l'attention se porte sur celles qui sont délibérément coercitives (prisons). On peut considérer à l'inverse celles, religieuses par exemple, où l'implication est normative, la plus volontaire et la plus globale. Les organisations étant évaluées selon leur type de légitimité, celle du pouvoir de ses dirigeants et, partant, le type d'implication des membres, la conduite de ces derniers variera grandement, laissant peu de place à l'autonomie d'une analyse du groupe comme source explicative ultime des comportements (1). L'analyse des organisations en termes de projets, préconisée un moment par A. Touraine (1965), a quelque parenté avec cette démarche.

La philosophie pratique que l'on peut prêter à l'analyse structurelle, rend peut-être plus manifeste la différence entre elle et les relations humaines. Cette dernière s'efforce de manipuler les subordonnés, de changer plus ou moins directement leur comportement et pense que rien ne peut être fait sans ces changements. Plus respectueux des individus, ou plus cynique, la philosophie de l'analyse structurelle serait qu'on peut faire beaucoup sans changer les individus, ou que ce sont les institutions qui font les individus.

(1) Voir notamment l'analyse d'Amitai ETZIONI, fondée sur la typologie : coercitif, contractuel, normatif. *A comparative analysis of complex organizations*, Free Press, 1961.

CHAPITRE IV

TRAVAIL ET TECHNIQUE

En 1945, paraissait *Les problèmes humains du machinisme industriel* de Georges Friedmann, ouvrage dont l'influence allait être considérable auprès d'une génération de sociologues. Ce livre, reprenant sous une forme nouvelle la critique du taylorisme faite par l'auteur une dizaine d'années auparavant, n'avait pas seulement le mérite de rappeler les travaux des psychologues du travail et de faire connaître en Europe la recherche de la Western Electric, jusque-là ignorée. Ceux-ci prenaient un sens nouveau dans le cadre d'une interrogation plus fondamentale que l'auteur n'a cessé de poursuivre : celle des rapports de l'homme à la machine, ou plus généralement, de l'homme à la technique. Ce livre peut être comparé aux grands ouvrages d'Elton Mayo. Il procède de la même manière. Partant du poste de travail, il pose avec un même accent critique le problème d'ensemble de la civilisation industrielle.

Il s'inscrit néanmoins dans un autre courant de pensée. Œuvre charnière dans une tradition que l'on peut faire remonter à Marx, celle de G. Friedmann, du moins en ce qu'elle regarde le domaine qui nous intéresse ici, est l'une des plus caractéris-

tiques du courant de la sociologie industrielle que,
par opposition à l'essentiel des travaux que nous
avons présentés, on appelle plutôt sociologie du
travail et qu'on qualifie d'européen, même si
quelques représentants de choix en sont américains.

Rien, peut-être, ne situe mieux les préoccupations
de ce courant que la remarque de H. Popitz, rap-
pelant qu'un atelier, avant d'être un lieu où se
forment des groupes informels de toute nature,
est d'abord un lieu de travail. L'accent sur ce que
l'école des relations humaines a eu tendance à trop
longtemps négliger indique un souci de remonter
en amont de la constitution des relations humaines.
Vis-à-vis de l'O.S.T., ce courant procède d'un refus
très radical d'accepter que les conditions de travail
préconisées par celle-ci puissent être décrétées les
meilleures. Il se soucie cependant assez peu de préconiser, à l'usage pratique des dirigeants, des modes
de direction plus humains. Conscients des contradictions inhérentes à toute forme d'organisation
de la vie sociale, plus intéressés par l'étude de ces
contradictions que par les processus régulateurs,
les mécanismes d'adaptation et de réduction des
tensions, plus analystes qu'expérimentateurs, re-
belles à l'idée que l'entreprise puisse être considérée
et analysée comme un système social clos, les chercheurs de ce courant sont, par tempérament, plus
enclins à chercher leur public dans les mouvements
ouvriers et contestataires que chez les dirigeants.

Nous ne présenterons ici que des aspects très
limités de ce courant. Nous insisterons en revanche
sur la recherche de J. Woodward qui, bien que
d'une inspiration différente, constitue cependant
la liaison entre deux courants de pensée qui, en
dépit de quelques réussites heureuses, s'étaient
mutuellement ignorés.

I. — Evolution technique
et évolution du travail

1. L'analyse de K. Marx. — Dans la quatrième section du livre I du *Capital* (la production de la plus-value relative), Marx analyse la logique du processus de division du travail à l'intérieur des manufactures et des fabriques. Lorsque les capitalistes créent les manufactures, c'est-à-dire réunissent sous un même toit de nombreux métiers, la division du travail ne s'arrête pas aux conditions préexistantes de la coopération entre ces métiers. Elle les décompose et n'atteint son but qu'en rivant pour toujours l'ouvrier à une opération de détail : « Le travailleur parcellaire devient en effet d'autant plus parfait qu'il est plus borné et plus incomplet. »

Le machinisme, qui caractérise la fabrique par opposition à la manufacture, met en œuvre une autre logique, non moins impitoyable. Dans la manufacture, la division du travail isolait les processus particuliers, elle était « purement subjective » (combinaison d'ouvriers parcellaires). La fabrique, elle, repose sur le principe de la continuité ininterrompue, elle crée « un organe de production complètement objectif ou impersonnel que l'ouvrier trouve là, dans l'atelier, comme la condition matérielle toute prête de son travail ». Le fonctionnement des outils étant désormais indépendant des limitations personnelles de la force humaine, la base technique sur laquelle reposait la division manufacturière du travail se trouve supprimée. « La gradation hiérarchique d'ouvriers » qui caractérisait cette dernière, « est remplacée par la tendance à égaliser ou à niveler les travaux incombant aux aides du machinisme. A la place des différences artificiellement produites entre les ouvriers parcellaires, les différences naturelles de l'âge et du sexe deviennent prédominantes ». A partir du moment où l'organisation repose sur « un système gradué de machines parcellaires, combinées entre elles et fonctionnant de concert, la coopération exige une distribution des ouvriers entre les machines ou groupes de machines parcellaires. Mais il n'y a plus nécessité de combiner cette distribution en enchaînant, comme dans la manufacture, pour toujours le même ouvrier à la même besogne. Puisque le mouvement d'ensemble de la fabrique procède de la machine et non de l'ouvrier, un changement continuel du personnel n'entraînerait aucune interruption dans le processus de travail. La rapidité avec laquelle les enfants apprennent le travail à la machine supprime la nécessité de le convertir en vocation exclusive d'une classe particulière de travailleurs ». Cette dégradation de la qualification, qui explique la montée de l'emploi des femmes et des enfants, aboutit également à une perte de l'intérêt au travail. « La facilité même du travail devient une torture, en ce sens que la machine ne délivre pas l'ouvrier du travail, mais dépouille le travail de son intérêt... La grande industrie achève la séparation entre le travail manuel et les puissances intellectuelles de la production, qu'elle transforme en pouvoir du capital sur le travail. »

Ces pages du *Capital* sont à l'origine de toutes les analyses ultérieures d'évolution du travail. Ces dernières, laissant en général de côté l'étude du système économique dans le cadre de laquelle s'inscrit l'analyse de Marx, se sont demandées jusqu'à quel point la logique qu'il avait mise en relief se trouvait vérifiée, en quels termes pouvait être analysée l'évolution technique au xxe siècle, et quelles étaient les conséquences de cette évolution sur le travail ouvrier.

2. L'analyse d'Alain Touraine. — Au lendemain de la deuxième guerre mondiale, G. Friedmann incitait de jeunes chercheurs à étudier les relations entre les transformations techniques de la production et la nature et la répartition des catégories professionnelles. C'était reprendre le projet de Marx, projet oublié et qui n'avait jusqu'alors inspiré que quelques chercheurs, principalement allemands, tels W. Hallpach et R. Lang (1922), ou Walter Jost (1932).

Cet appel était lancé à une époque où prédominait la vision pessimiste de l'évolution du travail, époque marquée par la récente montée des O.S. (ouvriers spécialisés), le travail à la chaîne, « le travail en miettes », pour reprendre l'heureuse expression de Georges Friedmann lui-même. L'idéologie de Ford était encore présente à tous les esprits. Certes l' « idéologie des hauts salaires » allait à

l'encontre de l'idée de paupérisation. Elle lui était
même diamétralement opposée et, de ce fait, la
rejoignait au moins sur un point. Marx indiquait
la logique qui, détachant le salaire ouvrier de son
lien avec le travail, le réduisait à la somme nécessaire à l'entretien physiologique du travailleur et
à sa reproduction. Ford indique de la même manière, mais à l'inverse, la logique d'une société
d'abondance, qui impose qu'au salaire-rémunéra-
tion du travail, se substitue ou s'ajoute un salaire
de consommateur. Mais c'est le travail ouvrier
seul qui nous intéresse ici. Or, Ford, en en faisant
l'apologie, transformait en un hymne au progrès
une déqualification du travail ouvrier, dont on
peut se demander si Marx, dans son plus grand
pessimisme, avait pu imaginer qu'elle irait jusque-là.

Parmi les travaux alors réalisés, la recherche
la plus marquante est celle que A. Touraine
effectua aux usines Renault à partir de l'évolution
de la machine-outil. Il en dégagera un schéma de
l'évolution du travail que ses travaux ultérieurs
reprendront, développeront, modifieront même sur
certains points de détail et qu'il situera tout entière
comme une première phase d'ensemble, dans une
évolution plus longue. Mais l'analyse, dans son
principe, restera pour l'essentiel inchangée. Il distingue trois phases :

— *Une phase A* ou *système professionnel de travail.* — Elle correspond à la machine universelle.
Bien qu'il s'agisse de machines, cette phase évoque
assez les débuts de la manufacture selon Marx.
Elle est fondée sur l'autonomie ouvrière. Elle correspond très exactement à cet état des ateliers
que Taylor rencontrait avant de procéder à leur
rationalisation. La prévisibilité des conditions de
production est faible. Le compagnon, assisté de ses

aides, décide lui-même du choix de ses outils, de ses méthodes et de ses gestes. On peut à peine parler ici d'entreprise dans le sens où l'on entend aujourd'hui ce terme. Il s'agit plutôt de la coexistence de deux mondes : le monde du travail, celui de la production, et le monde de l'argent, celui de la gestion.

— *Une phase B*, correspondant aux machines spécialisées. — Celles-ci, du fait de leur spécialisation à un petit nombre d'opérations, voire à une seule, épargnent de longs réglages et peuvent être engagées sans arrêt. C'est l'industrie de grande série, la production de masse. Cette phase peut être évoquée par une image : la chaîne.

— *Une phase C* ou *système technique de travail*. — Elle correspond aux machines spéciales, c'est-à-dire à ces complexes de machines effectuant une longue série d'opérations et dont la machine-transfert pouvait apparaître comme la forme achevée. C'est ce qu'on appelle aujourd'hui l'automation. L'appareil technique est indépendant des opérateurs qui le font fonctionner. Les travailleurs ne sont plus engagés dans la production elle-même mais dans des tâches de surveillance, de contrôle et d'entretien.

L'originalité de ce schéma par rapport à beaucoup d'autres qui peuvent lui être rapprochés, réside dans l'analyse de la phase intermédiaire. S'il y a bien trois phases, il n'y a en effet que deux « systèmes » : c'est que la phase B n'est pas analysable isolément, elle ne l'est que comme union contradictoire d'éléments représentatifs de l'ancien et du nouveau système de travail. Tandis que l'*organisation centralisée* du travail mettant fin à l'autonomie ouvrière, signale déjà l'apparition du nouveau système, le morcellement des tâches et la déqualification des travailleurs encore engagés dans le travail de production indiquent à la fois la permanence d'éléments de l'ancien système et la décomposition de ce dernier.

L'évolution technique modifie la proportion des ouvriers professionnels, des ouvriers spécialisés et des manœuvres. Les tableaux officiels de répartition des catégories professionnelles par branche industrielle peuvent en donner une indication (Tableau I). Certes, les branches ne sont pas homogènes quant à leur stade d'évolution technique. Mais en considérant celles qui le sont plus, on peut se faire une idée du processus. La proportion des qualifiés est relativement élevée dans les industries polygraphiques et le bâtiment, secteurs pouvant être considérés, chacun à leur manière, comme assez proches de la phase A. La proportion des O.S. est la plus élevée dans la construction électrique, typique de la phase B. Elle est aussi assez élevée dans la mécanique générale, les textiles et le travail des étoffes, secteurs où prédominent également les entreprises de type B. Dans ces industries, en majorité féminines, l'O.S. au travail parcellarisé remplace, dans la production, le professionnel ; celui-ci s'occupe de l'entretien. Dans le pétrole, prototype de la phase C, la proportion des qualifiés est la plus grande. Ceci reste juste même si l'on tient compte du fait que la tendance à surévaluer la qualification, pour des raisons administratives, est plus forte ici qu'ailleurs.

Mais l'analyse présentée par A. Touraine permet d'aller plus loin que de telles évaluations quantitatives. Elle s'est efforcée de montrer comment l'évolution technique transforme les rapports entre les catégories et la notion même de qualification : qualification attachée à l'homme dans l'ancien système (l'ancien compagnon emporte sa qualifi-

TABLEAU I

Répartition
suivant la catégorie professionnelle de 1 000 ouvriers
dans chaque groupe d'activité
à la fin du mois de mai 1964 (France)
(Etablissements occupant plus de 10 salariés seulement)

Activités	Ouvriers qualifiés	Ouvriers spécialisés	Manœuvres	Jeunes ouvriers de moins 18 ans et apprentis	Ensemble
Pétrole, carburants liquides .	745	185	69	1	1 000
Extraction de minerais divers	369	328	275	28	1 000
Industrie de transformation :	*357*	*370*	*197*	*76*	*1 000*
Production des métaux	370	458	131	41	1 000
Industries mécanique et électrique..................	403	465	79	53	1 000
dont :					
Première transformation des métaux	365	453	121	61	1 000
Mécanique générale	342	496	98	64	1 000
Construction de machines .	486	419	55	40	1 000
Construction électrique ..	324	567	52	57	1 000
Verre, céramique, matériaux de construction	263	345	326	66	1 000
Bâtiment et travaux publics.	548	214	194	44	1 000
Industrie chimique, caoutchouc	409	331	234	26	1 000
Industries agricoles et alimentaires	202	259	478	61	1 000
Industrie textile	206	438	224	132	1 000
Habillement et travail des étoffes	204	407	191	198	1 000
Cuirs et peaux	210	367	285	138	1 000
Industrie du bois, ameublement..................	221	334	359	86	1 000
Papier-carton	256	326	341	77	1 000
Industrie polygraphique....	566	222	92	120	1 000
Industries diverses	197	463	230	110	1 000

Sources : Statistiques du ministère du Travail.

TABLEAU II

**Répartition en cadres, agents de maîtrise et techniciens
employés et ouvriers
de 1 000 salariés occupés dans chaque groupe d'activité
à la fin du mois de mai 1964 (France)
(Etablissements occupant plus de 10 salariés seulement)**

Activités	Cadres	Agents de maîtrise et techniciens	Employés	Ouvriers et apprentis	Ensemble
Pétroles, carburants liquides.	131	220	219	430	1 000
Extraction de minerais divers	47	44	66	843	1 000
Industries de transformation :	*32*	*63*	*103*	*802*	*1 000*
Production des métaux	28	98	92	782	1 000
Industries mécanique et électrique	53	116	116	715	1 000
dont :					
Première transformation des métaux	46	92	107	755	1 000
Mécanique générale	55	98	116	731	1 000
Construction de machines .	51	127	114	708	1 000
Construction électrique ..	68	152	135	645	1 000
Verre, céramique, matériaux de construction	41	59	87	813	1 000
Bâtiment et travaux publics.	34	57	52	857	1 000
Industrie chimique, caoutchouc	76	113	189	622	1 000
Industries agricoles et alimentaires	55	48	173	724	1 000
Industrie textile	35	56	97	812	1 000
Habillement et travail des étoffes	39	28	140	793	1 000
Cuirs et peaux	34	34	95	837	1 000
Industrie du bois, ameublement...................	43	36	80	841	1 000
Papier-carton	40	56	98	806	1 000
Industrie polygraphique	93	50	211	646	1 000
Industries diverses	55	48	142	755	1 000

Sources : Statistiques du ministère du Travail.

cation avec lui, comme sa boîte à outils) et au poste dans le nouveau système.

Conçu essentiellement à l'origine pour étudier l'évolution de la qualification ouvrière — néanmoins A. Touraine en tirait déjà les implications pour l'évolution de la maîtrise —, ce schéma a été utilisé avec succès par la suite pour aborder d'autres problèmes, notamment l'évolution des systèmes de rémunération (voir chap. V) et la conscience ouvrière. Il est à l'origine, faut-il le rappeler, du débat toujours actuel, ouvert en 1958 par la revue *Arguments*, sur « la nouvelle classe ouvrière ».

3. **Précautions concernant l'utilisation et la confection des schémas d'évolution technique.** — Le succès d'un tel schéma et la multiplication d'analyses de type technologique appellent quelques remarques concernant l'utilisation qui en est parfois faite et leur élaboration. Les analyses de systèmes technologiques, même lorsqu'elles ne suggèrent pas directement un déroulement historique, se présentent de façon ordonnée : du plus simple au plus complexe, du moins prévisible au plus prévisible. Le schéma élaboré par J. Bright pour mesurer le degré d'automatisation d'une entreprise distingue dix-sept niveaux d'automatisation allant de « la main » à « la prévision des performances demandées et réglage en conséquence ». « Il s'élève en vertu de deux caractéristiques toujours semblables : d'une part, l'opérateur humain est de moins en moins associé, main et cerveau, aux opérations de l'outillage et, d'autre part, l'outillage fonctionne de façon de plus en plus autonome en s'appropriant un nombre croissant de fonctions humaines » (Naville). Mais l'automatisme étant en soi un progrès et venant nécessairement après ce qui l'est moins, cette gradation

évoque assez normalement la séquence temporelle, historique que la plupart des autres introduisent explicitement. Certes, la nature du produit, selon qu'il s'agit d'un fluide ou d'un solide, qu'il est homogène ou non, détermine largement le type de technologie. Certaines industries, celles qui traitent des fluides par exemple, s'installent directement dans une phase avancée. D'autres paraissent ne pas pouvoir dépasser le stade intermédiaire, voire celui du système professionnel. Mais partout où s'observe une transformation, ce mouvement va toujours dans le même sens, du système professionnel au système technique, à l'automation.

Les analyses, souvent mécanistes, à partir de la situation technique sont rendues de ce fait encore plus dangereuses : la tentation est grande de trouver dans l'évolution technique l'explication ultime et le sens de toute chose, et de réduire l'histoire sociale de l'industrie à l'histoire naturelle des machines. La formulation d'A. Touraine constitue, à cet égard, une mise en garde. Lorsqu'il dit « système technique, c'est-à-dire *social* », cela veut dire notamment que par opposition au milieu naturel, au charbon que le mineur affronte directement avec son pic dans le système professionnel, le système technique est un milieu créé par l'homme. En d'autres termes, l'organisation du travail, l'agencement des machines, le rythme du travail ne sont pas des nécessités naturelles, mais le résultat de choix. Les expériences d'élargissement du travail *(job enlargement)*, en montrant que le fait de river à jamais un travailleur à la même tâche parcellaire, ne se justifiait pas du point de vue, même étroit, de la productivité, indiquent suffisamment qu'il n'y avait aucune nécessité de le faire. Une telle situation n'est possible qu'en fonction d'une cer-

taine conception du travail humain. Quant à l'automation, si elle nécessite un état de la science plus
avancé, elle ne se développe pas de la même manière
dans toutes les activités. Les raisons en sont sociales.
Si elles sont techniques, elles le sont aussi dans un
sens qui mérite d'être médité, car on a tendance à
confondre modernisme, avant-garde et automation.
Or, comme le rappelle L. Karpik, ce n'est pas dans
les entreprises de pointe, d'innovation que l'automatisme a le loisir de se développer le plus libre-
ment, mais bien dans les entreprises à certains
égards plus routinières.

Il se pose un autre problème dans les analyses
d'évolution technologique, celui du choix des unités
sur lesquelles doit porter l'analyse. On se bornera
à mentionner un aspect de ce problème, en réalité
très complexe. Les analyses se sont longtemps
confinées aux activités de fabrication, au travail
ouvrier ; ce sont les premières à avoir été affectées
par la mécanisation. Il importe d'y inclure aujour-
d'hui d'autres activités, notamment les travaux
intellectuels de préparation et de décision. L'aspect
le plus révolutionnaire du phénomène « automation », en effet, n'est pas son impact sur le travail
ouvrier mais, avec l'ordinateur, son extension dans
le domaine du travail intellectuel. C'est encore
en limiter les conséquences que de le percevoir
uniquement sous l'angle de l'évolution du travail
de bureau. C'est une révolution dans le domaine
de la gestion, ayant ses effets dans l'entreprise
entière, ne serait-ce que par le bouleversement des
structures internes de pouvoir qu'impose le trai-
tement centralisé de l'information.

II. — Aliénation et conscience ouvrière

Un point de vue critique, d'une part, caractéristique assez commune du courant étudié, et le souci, d'autre part, de ne pas s'en tenir au niveau proprement psychologique des individus, mais de discerner d'emblée ce qui, à ce niveau, est la traduction d'une situation sociale (essentiellement technique ici, mais qui peut aussi être économique), expliquent le succès du concept d'aliénation. Ce terme d'origine philosophique, employé avec prudence par G. Friedmann, E. Chinoy et d'autres, est devenu d'un usage courant dans la sociologie empirique, où il a fait son entrée il y a une décennie. Dire que le concept d'aliénation est l'angle sous lequel est envisagée la satisfaction dans une perspective critique n'est que partiellement exact, en ce sens qu'il désigne moins un sentiment qu'une situation. Peut-être est-il plus juste encore de dire qu'il est la théorie elle-même, permettant de procéder à un certain déchiffrement du « manifeste » dans l'expression des sentiments, et de juger en conséquence de façon critique aussi bien la situation que les sentiments. Le comble de l'aliénation n'est-il pas en effet de se trouver satisfait d'une situation qui n'est pas perçue comme aliénante ? Nous sommes au cœur des problèmes posés par la recherche empirique en la matière : elle se trouve pratiquement recourir au questionnaire d'attitudes, c'est-à-dire traiter finalement un matériel de même nature que celui qu'utilisent les études de satisfaction les plus classiques.

L'étude de R. Blauner, comme la plupart des recherches empiriques sur le sujet, s'inspire des catégories de M. Seeman. Celui-ci, en effet, dans le but de rendre le concept opératoire, s'est livré à un recensement des différents usages du terme dans la littérature sociologique. Il en distingue cinq :

— La *Powerlessness* (sentiment d'impuissance), défini comme « l'attente ou la probabilité reconnue par l'individu que son propre comportement ne peut déterminer les résultats qu'il recherche ».

— La *Meaninglessness* (absence de signification) désigne l'incompréhension pour un individu de la signification des actes et des événements dans lesquels il est engagé.

— La *Normlessness* (absence de normes), c'est l'anomie, mais définie en termes plus mertoniens que durkheimiens. C'est l'incapacité pour l'individu de mettre en œuvre d'autres moyens qu'illégaux, désapprouvés, pour atteindre ses buts.

— La *Value isolation* (étrangeté aux valeurs). C'est la déperdition pour l'individu des valeurs sociales centrales. L'analyse de référence exemplaire est celle de l'intellectuel par Nettler.

— Le *Self estrangement* (l'absence de réalisation de soi) marque la rupture entre les activités d'un individu et les récompenses qu'il en escompte. Il y a *self estrangement* dans la mesure où un comportement dépend de gratifications futures anticipées, extrinsèques à l'activité.

R. Blauner a redéfini néanmoins ces catégories pour son usage propre et regroupé en une seule, sous le terme d' « isolement », la *normlessness* et la *value isolation*. Estimant que la technologie est le facteur le plus important qui donne à une industrie son caractère distinctif, R. Blauner a choisi de le privilégier et a sélectionné les industries typiques à cet égard : le livre, cas exemplaire d'un système de travail fondé sur le métier, le textile et l'automobile, représentant avec leurs caractéristiques propres l'étape intermédiaire, et la chimie. Il a utilisé principalement le questionnaire d'attitudes.

C'est sur la *powerlessness* que l'impact de la technologie est le plus direct. Celle-ci détermine en grande partie le degré de contrôle qu'exerce le travailleur sur son environnement. La définition même du système professionnel selon A. Touraine — l'autonomie de l'ouvrier de métier — suffit à indiquer que c'est à cet égard la situation la moins aliénée. La *powerlessness* est maximale dans la situation intermédiaire.

La *meaninglessness* est rare dans les industries de métier, en raison, d'une part, du caractère unique plutôt que standardisé de la production, et d'autre part, d'une division du travail n'allant pas au-delà de la spécialisation sur la base du métier. Elle augmente avec la mécanisation et la division du travail : la standardisation implique un travail répétitif plutôt qu'une succession de tâches distinctes et un travail portant sur un seul segment du produit. Le produit reste homogène avec l'automation, mais à la différence de ce qui se passe dans les étapes intermédiaires, l'apport de chacun est plus individualisé : au lieu d'une collection de tâches individuelles similaires juxtaposées, chacun a le sentiment de contribuer de façon unique à l'élaboration du produit. La *meaninglessness* tend à diminuer.

La forte intégration sur la base des traditions et des normes des différentes spécialités professionnelles fait que l'*aliénation* sociale, l'*isolement*, est basse dans l'industrie de métier. Cette base faisant défaut dans les industries fortement mécanisées, l'intégration, lorsqu'elle a lieu, peut se faire sur la base de l'entreprise et de la communauté locale. Dans une certaine mesure, et à l'inverse de l'automobile où l'aliénation sociale est la plus élevée, ceci se passe dans les textiles. Une distribution plus équilibrée et une structure plus différenciée des qualifications, mais aussi des conditions économiques plus favorables où R. Blauner voit l'une des raisons d'un degré plus élevé de consensus entre travailleurs et direction, font que l'aliénation sociale aurait tendance à diminuer avec l'automation.

Le développement industriel tend à rendre le travail manuel plus instrumental et les considérations externes tendent à l'emporter sur les satisfactions intrinsèques. Mais la technologie et la division du travail, là aussi, jouent un rôle. La rupture est la plus grande, c'est-à-dire le *self estrangement* plus élevé, dans les travaux monotones des O.S., des textiles et de l'automobile.

En résumé, l'aliénation totale suit une courbe en U inversée.

Le concept d'aliénation ne revêt cependant tout son sens que s'il a sa traduction dans d'autres attitudes et dans des comportements spécifiques (passivité politique, répulsion au travail, hostilité ethnique....). Or, les résultats en partie négatifs auxquels est arrivé M. Seeman dans une recherche sur ce sujet auprès de travailleurs et d'employés suédois sont d'un immense intérêt (*S.T.*, 2, 1967). Ils incitent à réviser certaines théories couramment acceptées sur la société de masse et, en dernier ressort, mettent peut-être en question le concept même d'aliénation et son utilité théorique.

A. Touraine propose, avec le concept de *conscience ouvrière*, une analyse permettant d'établir de façon originale un lien plus direct entre la situation de travail et les actions éventuelles. Le principe de sa démarche, relevant de l'analyse actionnaliste, est explicité dans son ouvrage théorique, la *Socio-*

logie de l'action. On acquerra une meilleure compréhension de ce qu'il faut entendre ici par conscience ouvrière si l'on considère au départ celle-ci comme un principe d'analyse plutôt que comme la description d'une réalité concrète : c'est un système d'exigences né du rapport du travailleur à son travail et posé dans le moment même où il y a travail, la double exigence de création et de contrôle. Mais on est plus proche de la réalité concrète lorsqu'on analyse la façon dont elle se matérialise et se transforme avec l'évolution des techniques de production. C'est l'objet de la recherche empirique qu'il a menée auprès des travailleurs appartenant à des secteurs représentatifs des différentes phases de l'évolution technique pour décrire et expliquer cette transformation (1966).

Le système professionnel est représenté par le bâtiment, les mines et la fonderie, le passage du système professionnel au système technique par les métaux (métaux-équipement et métaux-fabrication), le système technique par le pétrole et le gaz et l'électricité. La conscience ouvrière, elle, se définit par un triple système de référence : *un principe d'identité* (conscience de soi comme producteur), *un principe d'opposition* (conscience de l'adversaire comme s'appropriant le contrôle ou le bénéfice du travail), *un principe de totalité* (conscience de la société comme système de pouvoir).

Dans le bâtiment, la conscience ouvrière est dominée par une forte conscience d'identité (fierté professionnelle, liée à l'autonomie professionnelle). Le principe d'opposition, en revanche, peu enraciné dans l'expérience même du travail, est fondé sur les rapports économiques plus que sur une opposition sociale. On peut parler chez les mineurs d' « économisme ». Ne disposant pas à l'égal des ouvriers du bâtiment d'une qualification et d'une autonomie professionnelles susceptibles de conférer une même conscience d'identité, dominés en revanche dans leur situation de travail par les exigences du rendement, une dépendance sociale plus grande, ils ont une conscience orientée vers une défense économique centrée sur la valorisation de l'effort et la protection contre l'insécurité. Dès que l'on pénètre dans le système technique, l'ouvrier ne se définit plus par référence à son apport personnel, mais par sa dépendance vis-à-vis du système d'organisation du travail. L'entrée dans le système technique est la condition d'apparition de la *conscience de classe*, moment privilégié où se trouvent réunis les trois éléments de la conscience ouvrière : l'affirmation de soi comme principe de revendication, l'opposition à celui qui détient le pouvoir sur le travail et la contestation d'une société fondée sur les rapports de classe. Cette situation est celle des métaux-équipement et, dans une certaine mesure encore, celle des métaux-fabrication. En effet, dans le système technique proprement dit (pétrole et gaz et électricité) la conscience ouvrière se scinde, la revendication se politisant, tandis que les problèmes professionnels acquièrent une certaine autonomie. Le principe d'identité est orienté vers la défense de la vie privée. La conscience de classe se dégrade en défense économique et conscience de strate.

Cette analyse est à verser au dossier de « la nouvelle classe ouvrière ». Elle va à l'encontre des conclusions de Serge Mallet qui, dans ses analyses, examine les actions syndicales privilégiées de travailleurs et de techniciens appartenant à des secteurs avancés. Sans doute convient-il de signaler ici la recherche de J. H. Goldthorpe et D. Lockwood

(*The affluent worker*, 1968). L'image très instrumentaliste qu'ils nous donnent de la nouvelle classe ouvrière britannique, aux antipodes de celle gestionnaire, responsable et révolutionnaire dépeinte par S. Mallet, s'explique en partie par le fait que l'*affluent worker* est moins directement défini par les conditions technologiques avancées de son travail. Mais le problème est justement, peut-être, de savoir à partir de quoi le travailleur se définit.

III. — Technologie et organisation

En Grande-Bretagne, dans le cadre du Collège technique de South Essex, Joan Woodward engagea, en 1954, une recherche auprès de cent entreprises de la région pour juger de l'efficacité des théories classiques de direction des entreprises. Elle s'intéressait notamment à des problèmes comme les types de structure de l'organisation (organisation hiérarchique, organisation fonctionnelle), le degré de spécialisation des fonctions, le nombre optimal de niveaux hiérarchiques et le nombre optimal de personnes devant dépendre directement d'un cadre à chacun de ces niveaux *(span of control)*. Y avait-il quelque relation entre le succès des entreprises et la mise en pratique de ce qu'enseigne la théorie à ces sujets ?

Après un long travail, les premiers résultats se révélèrent particulièrement décevants : aucune des caractéristiques étudiées ne se trouvait avoir quelque rapport avec le succès. Si l'on en croit J. Woodward, les résultats furent même assez mal accueillis par les milieux britanniques, responsables de l'enseignement en la matière. Ne mettaient-ils pas en cause les fondements de cet enseignement ?

Ce premier échec dans l'analyse de leur matériel conduisait assez spontanément l'équipe de chercheurs à se tourner vers les données techniques. Ils rangèrent les entreprises dans l'un des neuf groupes ci-dessous :

1. Production unitaire ou petite série :

    I. — Production d'unités simples selon les exigences du client ;

   II. — Production de prototypes ;

 III. — Fabrication de gros équipement par étapes ;

 IV. — Production de petite série en fonction des demandes du client.

2. Grande série et production de masse :

  V. — Production en grande série ;

 VI. — Production en grande série à la chaîne ;

VII. — Production de masse.

3. Production en continu :

VIII. — Production en continu de produits chimiques dans une entreprise multifonctionnelle ;

 IX. — Production en continu de liquides, gaz et produits pulvérulents.

Cette classification est ordonnée. Elle s'élève en fonction de l'*évolution* et de la *complexité* techniques. En la parcourant de I à IX, on s'élève également dans le sens d'un plus grand contrôle des opérations de production, d'une plus grande prévisibilité. Pour les commodités de l'analyse, ces catégories ont été regroupées, comme on peut le voir, en trois groupes que nous désignerons plus brièvement par « production unitaire », « production de masse » et « production continue ».

Les données recueillies par les chercheurs s'organisèrent alors de façon intelligible. Les systèmes de production similaires tendent à avoir des structures d'organisation similaires. Lorsqu'on avance dans l'échelle des systèmes de production, c'est-à-dire lorsqu'on va de la production unitaire à la production continue, le nombre de niveaux hiérarchiques dans les départements de production augmente (la médiane est 3 pour la production unitaire, 4 pour la production de masse et 6 pour la production en continu) ; le nombre de personnes directement responsables auprès de la direction générale augmente : il varie de 1 à 9 (médiane 4) pour la production unitaire, de 4 à 13 (médiane 7) pour la production de masse et de 5 à 15 (médiane 10) pour la production en continu ; la proportion de dirigeants et de cadres par rapport au reste du personnel augmente ; la proportion des coûts affectés aux salaires diminue.

Il existe en revanche des similarités entre les deux extrêmes. C'est le cas, par exemple, du nombre d'hommes sous les ordres du contremaître de premier échelon, plus élevé dans les catégories intermédiaires. De la même manière, le système organique a tendance à prédominer dans les catégories extrêmes de l'échelle, alors que le système mécanique prédomine dans le centre. Cette distinction est empruntée à Tom Burns.

Le système *mécanique* est caractérisé par une séparation rigide entre les organismes fonctionnels, une définition précise des devoirs, des responsabilités et des sphères d'autorité, une ligne hiérarchique bien développée par où circulent, de bas en haut, des informations et de haut en bas des décisions et des instructions. Bref, et nous renvoyons à ce sujet au chapitre précédent, ceci évoque la définition idéale typique de la bureaucratie, c'est-à-dire aussi le modèle « rationnel » préconisé par les théoriciens classiques de l'organisation.

Le système *organique* est plus souple. Les tâches n'y sont pas définies de manière aussi formelle. Au lieu d'être soit de l'information soit des instructions, les communications à l'intérieur de la ligne hiérarchique relèvent plutôt de la consultation. La direction n'est pas considérée comme omnisciente. Alors qu'il y a une tendance à la communication écrite dans le système mécanique, il y a ici tendance à la communication verbale.

Si la recherche en était restée là, elle n'aurait été qu'une étude de plus sur les rapports entre la technologie et l'organisation, venant confirmer sur un échantillon plus grand qu'à l'accoutumée ce que bien d'autres travaux avaient analysé auparavant dans le détail. Mais la découverte intéressante de l'équipe n'est pas que des entreprises ayant des systèmes de production similaires tendent à avoir des structures d'organisation similaire, c'est que *les entreprises qui réussissent sont celles dont les structures d'organisation sont les plus typiques de la catégorie à laquelle ils appartiennent.* Inversement, celles qui ne réussissent pas sont celles dont les caractéristiques s'éloignent le plus de celles de leur catégorie. Si l'on prend par exemple le cas du nombre de personnes sous les ordres du contremaître de premier niveau, on remarque que la médiane est de 23 pour le système unitaire, de 49 pour la série et de 13 pour le continu. Les contremaîtres des entreprises dont la réussite est inférieure à la moyenne ont tous dans le système unitaire soit moins de 20 soit plus de 40 travailleurs sous leurs ordres, ceux

de la série soit moins de 40 soit plus de 70 et ceux
du continu soit moins de 10 soit plus de 20.

Les théoriciens classiques fondaient leur projet
sur l'idée qu'il existait des lois de l'organisation
indépendantes des systèmes de production et des
buts de l'entreprise. On rejoint le problème évoqué
au chapitre précédent. Il se révèle que leur conception semble surtout valoir, mais ne valoir seulement
que pour un certain système de production : la
production en grande série et la production de
masse. C'est là, mais là seulement, que le système
mécanique est préférable au système organique.

On a pu, à nouveau, parler à ce propos de mise
en cause du fameux *one best way* taylorien. Fameux,
en effet, car la négation sans cesse réaffirmée de
l'idée taylorienne de *one best way* est l'une des caractéristiques de l'histoire de la sociologie du travail.
Mais si le procès en est si souvent refait, c'est que
la condamnation vise chaque fois une conception
différente de ce que chacun veut entendre par cette
formule ramassée et trop commode.

En effet de la condamnation du *one best way* que
préconisait Taylor (« ce n'est pas le meilleur, car
il ne tient pas compte du facteur humain »), on est
passé, avec des transitions plus ou moins nettes
(du type « tout est cas d'espèce » ou le *one best
way* est en dernier ressort celui qui aura été accepté
par tous, du moins celui qui n'aurait pas été
décrété autoritairement : c'est une affaire d'administration, de style) à l'idée qu'il y aurait tout
simplement plusieurs manières de faire une chose
et de bien la faire. Le principe de totale indifférence
est d'une valeur scientifique douteuse et d'un intérêt pratique nul. Dire que « cela dépend » sans
préciser de quoi cela dépend est également totalement dépourvu d'intérêt.

J. Woodward ne met pas en cause le *principe* du *one best way*. Elle montre, à l'inverse, qu'il en existe un, que celui-ci est différent selon les systèmes techniques de production et elle indique dans quel sens il faut le chercher. Il n'y a de science et de lois que du général. Les propositions de J. Woodward ne sont pas moins générales que celles qu'émirent les organisateurs classiques ; elles sont seulement plus précises.

La recherche dirigée par Joan Woodward apporte, et dans le même esprit, une lumière nouvelle à un certain nombre d'autres problèmes, objets sur le terrain de la théorie de controverses jamais closes et sur celui de la pratique de conflits souvent assez vifs. On en retiendra deux.

On se souvient de la distinction présentée par les relations humaines entre la fonction économique d'une entreprise (profit, efficacité technique) et sa fonction sociale (distribuer des satisfactions à ceux qui en font partie). Cette distinction, relativement banale, n'était présentée que pour indiquer sur quelle affirmation reposait le projet des chercheurs. Contrairement à l'opinion courante qui ne verrait entre les deux fonctions aucun lien ou les considérerait au contraire comme antagonistes, les relations humaines affirmaient que le succès de la fonction sociale conditionnait en grande partie celui de la fonction économique (cf. chap. II, 2). On sait qu'il sera fait à leur pratique à ce sujet deux reproches contradictoires : tantôt celui de manipuler les travailleurs en vue de l'efficacité technique et économique de l'entreprise, tantôt celui d'oublier totalement l'efficacité au profit du « bonheur des individus ».

J. Woodward suggère à ce problème une solution séduisante. N'est-ce pas en effet un peu la même distinction qu'elle reprend lorsqu'elle distingue la fonction technique et la fonction sociale de l'organisation ? L'importance réciproque de l'une et de l'autre, leurs relations et leur impact sur la réussite des entreprises dépendent du système technique de production. Dans les systèmes techniques avancés « la coordination du travail ne dépend pas de la structure de l'organisation ou de la coopération entre les individus ». Elle est si l'on veut, en quelque sorte inscrite et réalisée dans la structure même du système technique. Cela veut dire que dans cette situation l'organisation a une fonction exclusivement sociale, celle « de définir les rôles et les relations dans un système social ». Mais en même temps, dans la mesure où la coordination est indépendante de la forme de l'organisation, cette dernière n'a pas d'effet critique sur la réussite de l'entreprise.

Il en est différemment des systèmes techniques moins avancés où, l'organisation ayant à la fois une fonction technique et sociale, il existe une relation étroite entre la réussite de l'entreprise et la forme d'organisation. Mais alors que dans le système unitaire il y a plutôt harmonie entre les fonctions techniques et sociales de l'organisation, il y a plutôt conflit dans la production de masse : ce qui, dans ce système, est le meilleur pour la production ne l'est pas nécessairement pour les salariés.

La recherche apporte également un éclairage nouveau au problème : quel est des trois services, recherche-développement, production, commercial, celui dont l'importance est la plus décisive pour le succès d'une entreprise ? Quelles sont par ailleurs les relations entre ces trois services et selon quel ordre interviennent-ils ?

Cela dépend du système de production. Le secteur le plus décisif est en général celui auquel se trouve avoir été le plus étroitement associée la carrière du directeur général ; plus précisément encore, et selon le même schéma présenté plus haut, les entreprises les plus prospères sont celles où le directeur général a été antérieurement le plus associé à ce service. C'est pour le système unitaire la recherche, pour la production de masse la production et pour le système en continu le commercial.

Dans le système de production unitaire, la production dépendant exclusivement des demandes du client, le cycle commence par le commercial : le rôle du vendeur est de convaincre le client potentiel que l'entreprise est en mesure de produire l'article dont il a besoin. Le vendeur dont le statut est plutôt bas dans les entreprises de ce type, doit disposer d'une qualification proprement technique plus que d'une qualification spécifique de vendeur. Il se trouve plus associé que ses homologues des autres systèmes aux cadres des autres départements. Vient ensuite la recherche, phase critique, celle d'élite. Les cadres de la recherche passent plus de temps que leurs homologues des autres systèmes dans les ateliers, dans la production, département qui clôt le cycle et dont les cadres ne sont pas aussi qualifiés techniquement que leurs collègues de la vente et de la recherche. Ce système est celui où la séparation entre les trois services est la moins grande et la coopération la plus aisée. Chacun dans la défense de son propre service est aussi conscient des objectifs généraux de l'entreprise.

Il en va bien différemment du système de production de masse où la séparation entre les trois départements est plus tranchée et la coopération entre les uns et les autres la plus malaisée. Le pro-

blème des communications est d'autant plus crucial
et difficile à résoudre que c'est dans les situations
où les services ont le plus de contacts les uns avec
les autres (quand ce ne serait que pour des raisons
topographiques) que les conflits sont les plus grands.
Ceci relativise la conception également trop générale selon laquelle l'organisation du face à face
peut contribuer à améliorer les problèmes humains.
Le cycle commence par la recherche. Les cadres de
recherche pensent que celle-ci est cruciale pour le
développement à long terme de l'entreprise. Les
directions considèrent l'efficacité de la production
et la réduction des coûts unitaires comme plus
décisives. Ce choix ne suffit pas à compenser le sentiment d'infériorité — et le ressentiment — des
cadres de production à l'égard de ceux de la recherche. Par rapport à leurs homologues des autres
systèmes, les cadres commerciaux de la production
de masse sont techniquement moins qualifiés, plus
spécialisés sur le plan de la formation commerciale,
plus engagés dans les associations professionnelles
et moins impliqués dans la politique interne de
l'entreprise.

Dans la production en continu, le cycle commence
par la recherche, une recherche plus orientée vers
l'extension des connaissances que sur le développement précis de tel ou tel produit. Cette recherche
est ignorée le plus souvent des autres services.
C'est dans ce système que la séparation entre les
services est de loin la plus grande. Les problèmes
de prestige et de conflit entre services y prennent
d'autant moins d'importance que chaque service
tend à former lui-même un système social autonome.

Chapitre V

SOCIOLOGIE DE LA RÉMUNÉRATION

Le cas de la rémunération au rendement

Les différentes perspectives de recherche que nous avons présentées peuvent ne pas se trouver d'espace commun. Il n'y a place alors que pour l'ignorance réciproque, la discussion académique, la coexistence pacifique ou l'anathème idéologique. Elles peuvent, notamment à l'occasion de l'étude d'un même problème social, se trouver un espace commun, c'est-à-dire un lieu d'affrontement nécessaire au progrès. On montrera ici, sur un problème concret, celui de la rémunération, l'apport particulier des différents courants signalés, les analyses proposées et, chaque fois que cela a été possible, les conclusions pratiques, explicites ou implicites qui en découlent. On pourra remarquer à cette occasion tout ce que la vision d'une théorie succédant à une autre peut parfois comporter de simpliste dans la pratique concrète de la recherche, en tout cas au niveau d'élaboration théorique où se situent celles que nous présentons.

On examinera en premier lieu *les analyses du freinage*, pratiquement associées, et l'on en comprend les raisons, à celles du fonctionnement du salaire au rendement. Ces analyses constituent un exemple privilégié. Elles jouèrent en effet un rôle presque stratégique dans la définition et les oppositions des différents courants. On s'interrogera ensuite sur l'*évolution des systèmes de rémunération.* Etant donnée la place traditionnellement accordée au salaire au rendement dans les pratiques de direction, il est normal que ce soit surtout à son sort que l'on s'attache. Il sera donc surtout question du salaire au rendement dans ce chapitre. Mais dans le premier cas, l'analyse est centrée sur les travailleurs alors que dans le second, elle l'est en dernier ressort, sur les dirigeants.

I. — Le freinage et le fonctionnement de la rémunération au rendement

1. L'analyse classique. — A) *Les économistes.* — Les économistes sociaux qui, au XIXe et au début du XXe siècle, étudient la réalité industrielle, considèrent comme « normal », c'est-à-dire comme rationnel et désirable, de chercher à maximiser ses gains. Plus spécifiquement, ils considèrent comme normal qu'un travailleur augmente son effort et sa production dès lors qu'il a la certitude de gagner plus en le faisant. La forme de rémunération idéale devient automatiquement le salaire aux pièces. Ils en préconisent la généralisation partout où cela est possible. Le travailleur, assuré de gagner plus en fonction de sa production, produit plus et accroît ses gains.

Que les économistes considèrent ce comportement comme normal n'implique pas, loin de là, qu'ils le considèrent comme universel. Les exceptions sont d'abord attribuées à la paresse des êtres humains, paresse souvent associée à des traits que l'on qualifierait aujourd'hui de culturels : de nombreux travailleurs, au niveau d'aspiration bas, arrêtent leur effort dès qu'ils ont atteint le niveau de salaire qu'ils estiment suffisant pour subvenir à leurs besoins. D'autres motifs plus élaborés sont évoqués, motifs qui conduisent assez naturellement à des comportements organisés collectivement : la crainte de la surproduction et la crainte de l'augmentation des exigences patronales à partir du moment où les travailleurs ont montré qu'ils sont capables de produire plus. Ces deux craintes ont, avec plus de raison, l'occasion de se manifester sous le régime du travail aux pièces. C'est donc paradoxalement le système que les économistes préconisent pour l'épanouissement du comportement normal qui renforce le comportement déviant.

À la résolution de ce cercle vicieux, dont ils sont conscients, les économistes n'ont pas su trouver d'autres mesures que morales : exhortations pieuses à l'adresse des patrons pour qu'ils ne modifient pas les tarifs dès lors que ceux-ci se révèlent plus avantageux pour les travailleurs qu'il n'avait été prévu, appels au développement de l'instruction et de l'éducation chez les travailleurs, instruction pour qu'ils apprennent la raison d'être et les bienfaits du marché, éducation pour les inciter à la prévoyance et à l'épargne en prévision des humeurs passagères de ce marché.

Le climat puritain dans lequel baigne leur science ne permet pas aux économistes de préconiser comme remède à l'apathie ouvrière la sollicitation à consommer plus, dont on fait facilement aujourd'hui dans les pays en voie de développement un facteur de l'incorporation des travailleurs au mode de vie industriel. En revanche, c'est sur ce seul élément de déviance que des mesures concrètes (et non plus seulement morales) ont pu être proposées.

A vrai dire, elles le furent plutôt par les économistes préclassiques. Ceux-ci donnèrent un statut théorique à une pratique patronale qui pouvait, certes, tenir compte d'une psychologie ouvrière de fait : puisque le travailleur arrête son effort au niveau qu'il juge suffisant pour satisfaire ses besoins, il doit être rémunéré chichement. C'est « la théorie des bas salaires ».

Cette technique de rémunération par la seule contrainte a néanmoins ses limites. Elle se révèle rapidement contradictoire avec les buts immédiats recherchés et les valeurs proclamées. En effet, sa mise en œuvre concrète — et cela est plus visible dans le cas du salaire aux pièces — implique que l'employeur diminue le tarif à mesure que le travailleur se révèle pouvoir produire plus. Elle implique donc qu'il fasse ce qui incite précisément les travailleurs à limiter leur production.

B) *François Simiand*. — Il y a lieu de rappeler à ce propos l'analyse de F. Simiand, soucieux d'opposer le point de vue d'une sociologie positive à la théorie des salaires des économistes, qu'il juge trop abstraite et *a priori*. C'est sur le salaire des mineurs qu'il élabore une théorie, dont il extrapolera, trente ans plus tard, l'essentiel à l'ensemble des agents économiques.

Le mouvement des salaires des mineurs est, pour F. Simiand, le résultat de l'affrontement de comportements ouvriers et patronaux, parfaitement symétriques. Ceux-ci sont guidés par quatre tendances : *a)* la tendance à continuer d'avoir le même gain ; *b)* la tendance à ne pas augmenter l'effort ; *c)* la tendance à avoir un gain plus grand ; *d)* la tendance à diminuer l'effort. Ces tendances sont hiérarchisées, c'est-à-dire que dans le même être économique chacune de ces tendances, s'il y a conflit entre elles, l'emporte sur la suivante. D'autre part, de l'une à l'autre des parties en présence, ouvrières et patronales, les tendances de même rang, si elles viennent en conflit, composent entre elles. Enfin, entre les tendances ouvrières et patronales de rang différent, s'il y a conflit, la tendance supérieure l'emporte sur la tendance inférieure de l'autre partie.

C'est, considérée comme une *donnée de fait* et généralisée à l'ensemble des agents économiques, la description même du comportement apathique, *déviant* aux yeux des économistes. La seule différence, ou précision, est l'accoutumance aux gains acquis. L'augmentation de ceux-ci ne pouvant provenir d'une augmentation de l'effort, il est, en dernier ressort, le résultat d'une conjoncture heureuse, d'une élévation de prix du charbon. La conjoncture heureuse ne fait qu'attacher les travailleurs (et les patrons) à de meilleurs gains ; la conjoncture malheureuse est nécessaire pour inciter à l'effort et à l'innovation. Simiand ne souscrirait certes pas à la théorie des bas salaires. Le mécanisme qu'il décrit procède du même esprit.

C) *F. W. Taylor*. — Taylor, qui distingue la flânerie naturelle et la flânerie systématique mais s'attarde plus à cette dernière, est un pur représentant de la pensée classique. Il innove peu sur le plan de l'analyse du freinage. Mais il propose la solution pratique au dilemme des économistes.

Ceux-ci étaient conscients que la confiance et, partant, l'honnêteté de part et d'autre étaient les conditions *sine qua non* du fonctionnement du salaire aux pièces. Taylor analyse plus minutieusement que ne l'avait fait aucun d'eux le processus par lequel les travailleurs, ayant vu leurs tarifs abaissés par suite d'une augmentation de leur rendement, limitent leur production, fût-ce au prix d'une fatigue supplémentaire. Ils le font dans l'intention très précise de laisser leur patron ignorer le temps nécessaire à l'exécution de leur tâche. S'ils agissent alors de façon parfaitement rationnelle et conforme à leur intérêt, ils n'agissent pas moins avec malhonnêteté, et Taylor est plus enclin à s'indigner de la leur que de celle du patron. C'est que ce dernier ignore tout des temps nécessaires, alors que les premiers en ont une idée. Les exhortations morales des économistes à l'adresse des uns et des autres ne pouvaient que rester vaines : *les comportements qu'ils dénonçaient étaient les éléments mêmes du processus par lequel s'établissait l'évaluation des temps*. La solution est là. Car, déclare Taylor, il existe un temps exact pour chaque tâche et il est possible de le déterminer. L'existence d'un *critère objectif* permet le déblocage de l'ensemble du système des attitudes ouvrières et patronales. Il n'est plus utile au travailleur de freiner, c'est-à-dire de dissimuler et de tromper. C'est, par ailleurs, la possibilité d'une stimulation par en haut et non plus par la seule contrainte (bien que cette dernière soit conservée), car le patron, assuré que les temps sont exacts, peut se risquer à verser des hauts salaires. Il le peut aussi en raison des économies réalisées grâce à l'organisation du travail. Car c'est un second point capital trop oublié par de nombreux praticiens : la mesure de la tâche n'est possible que par suite d'une analyse du travail, dont la conclusion logique est l'organisation des ateliers. Taylor condamne le stimulant sans organisation, celui du « laissez-faire » des patrons qui ne comptent pour l'augmentation de leur production que sur les travailleurs, sur leurs motivations et leurs seules initiatives. Le patron doit apporter sa part de travail.

Plusieurs présentations d'expériences de suppression du travail au rendement (Guy Lajoinie, *S.T.*, 2, 1961, M. Doublet, Wilfred Brown), suppressions ayant eu souvent pour corollaire l'augmentation de la production, montrent que cette forme de rémunération, agissant un peu à la façon d'un règlement bureaucratique et laissant à la seule responsabilité du travailleur le soin de réaliser son rendement, dispensait en réalité les cadres de se soucier véritablement de la production. Wilfred Brown, notamment, a analysé (1) comment la suppression de cette forme de rémunération avait pour conséquence obligée de contraindre les cadres à prendre leurs responsabilités, à user de leur autorité et à se soucier de l'organisation concrète du travail et des problèmes rencontrés à tout moment par les travailleurs dans l'exécution de leur tâche. De telles expériences suivent plus avant le chemin tracé par Taylor plutôt qu'elles ne reviennent sur son enseignement.

2. **Les relations humaines.** — Une théorie ou une doctrine s'élabore fréquemment en réaction contre une autre. Pour se présenter plus clairement au public, sinon à la conscience même de ceux qui y travaillent, elle tend souvent à mettre plus l'accent sur ce qui l'oppose à la précédente que sur ce qu'elle apporte de véritablement original. Ceci se traduit dans le langage qu'elle adopte finalement ; elle emprunte au précédent. Le public, simplifiant pour comprendre et saisissant mieux des oppositions terme à terme qu'un changement de perspective ou un déplacement du champ, prend les mots pour argent comptant. Ainsi le langage adopté masque-

---

(1) W. Brown, *Le salaire aux pièces, un anachronisme ? L'effet de la rémunération au rendement sur l'autorité directoriale*, trad. franç., Dunod, 1962.

t-il parfois les idées réellement nouvelles qu'il était destiné à transmettre.

Ceci est vrai des relations humaines dans ses rapports avec l'organisation scientifique du travail et notamment avec Taylor. C'est particulièrement net sur le sujet des stimulants financiers. De tous les thèmes que l'école a abordés, il n'y en a pas où l'on soit passé plus allégrement de la simplification au contresens. Certains ouvrages de vulgarisation, reprenant l'opposition « logique des sentiments — logique de l'efficacité » vont jusqu'à nier l'existence d'une quelconque motivation économique, proposition qui, isolée de son contexte, est dépourvue de sens. Une telle affirmation semble trouver sa confirmation dans l'utilisation très primaire d'innombrables questionnaires d'attitudes — souvent ambigus — où il est demandé aux travailleurs ce qui est le plus important pour qu'un travail soit intéressant. Que le salaire n'apparaisse souvent qu'en troisième position est hâtivement interprété comme un indicateur de la place secondaire que les travailleurs accorderaient aux problèmes économiques. Pour certains, en tout cas, les relations humaines auraient démontré la généralité du freinage et condamné de façon rédhibitoire le recours aux stimulants financiers.

William Foote Whyte a repris un grand nombre d'études sur le fonctionnement du salaire au rendement, menées pour la plupart dans l'esprit des relations humaines. Il montre très bien, en présentant par exemple l'analyse par observation participante de Donald Roy, qu'en limitant leur production, les travailleurs agissent de façon rationnelle. La façon dont ils « coulent » systématiquement les temps trop exigeants, se rattrapant en revanche sur les temps lâches (tout en maintenant un plafond), montre à quel degré de perfection l'esprit de calcul en vue de la maximation des gains peut parvenir. C'est un exemple parmi d'autres. Rien en cela ne diffère de l'analyse taylorienne, et W. F. Whyte peut conserver intégralement l'idée du travailleur, culturellement motivé par la recherche de l'argent, incité à répondre à un symbole, à un stimulus : le salaire au rendement. Mais alors que la relation entre le stimulus et la réponse est directe pour Taylor (ou alors qu'il pense qu'elle peut l'être), W. F. Whyte montre qu'il est loin d'en être ainsi.

Si l'on continue d'adopter la conceptualisation pavlovienne, on peut dire que la situation de travail au rendement est d'une façon générale la situation même de la « névrose expérimentale » : les symboles sont mal différenciés. L'argent n'est d'abord qu'une sanction parmi d'autres et, par ailleurs, alors que l'efficacité d'un symbole dépend du caractère immédiat, univoque, de la liaison entre symbole, activité et sanction, cette liaison est toujours ambiguë ; elle passe par l'intermédiaire de la mesure des temps et une manipulation du système peut permettre d'obtenir plus aisément des résultats aussi avantageux.

La réponse est influencée par le contexte des relations humaines dans lequel le symbole est présenté. Le travailleur ne réagit pas individuellement mais comme membre d'un groupe. Il se développe des normes concernant la production. Ceci ne veut pas dire qu'elles soient suivies de tous : mais qui les enfreint fait un choix et doit payer cette infraction à l'égard du groupe qui ne manque pas de sanctionner son comportement. Cette norme de production est destinée à empêcher entre les travailleurs une compétition qui perturberait l'équilibre des relations interpersonnelles. Un système stimulant qui parviendrait à ne pas perturber cet équilibre serait un système idéal. Le rôle du groupe dans la détermination du rendement est à l'évidence l'apport original et décisif des relations humaines. On se souviendra ici, outre du *Bank wiring*, de l'expérience de L. Coch et J. R. P. French et des travaux de S. E. Seashore (chap. II). C'est un apport décisif en ce sens que, même lorsque le point de vue des relations humaines sera par quelque côté dépassé, ce dépassement intégrera nécessairement dans l'analyse le rôle du groupe informel. C'est par exemple le cas aussi bien de la recherche de T. Lupton (cf. plus bas) que de celle de Louis Héthy et Csaba Makó sur le fonctionnement du système de salaire dans une grande entreprise hongroise, dont un aspect a été présenté dans *S.T.*, 1, 1971.

Enfin, il faut considérer l'ensemble de l'entreprise et non un atelier spécifique (cf. l'expérience de Bavelas, chap. II, p. 30).

Il ne s'agit pas, on le voit, de condamner les stimulants financiers, mais de découvrir les conditions de leur bon fonctionnement. Le freinage est attribué aux sentiments comme dans les analyses antérieures, mais la possibilité d'influencer les sentiments est cherchée ailleurs que dans l'action psychologique individuelle, le prêche moral ou le perfectionnement technique des formules. *Sentiments, activités et interactions* sont liés. Pour changer les sentiments et les activités, il faut changer les *interactions*. C'est sur le système social lui-même et non sur les individus qu'il faut agir. Pour changer les interactions, on change les symboles, le flux du travail, les structures de l'organisation ; c'est une politique plus exigeante pour les cadres d'une entreprise que celle d'administrer mécaniquement une formule.

La recommandation par W. F. Whyte de stimulants collectifs (intéressement du type plan Scanlon)
suffit à montrer que ce n'est pas le principe de la
motivation économique qui est critiqué. L'intéressement collectif est jugé supérieur dans la mesure
où il peut ne pas mettre en cause l'équilibre des
relations interpersonnelles et où, s'il n'élimine pas
les injustices entre les groupes, il n'en crée pas, du
moins, de nouvelles.

3. **T. Lupton.** — T. Lupton, en Grande-Bretagne,
a comparé le fonctionnement de systèmes au rendement dans un atelier de confection d'imper-
méables, à main-d'œuvre en majorité féminine, et
dans un atelier de fabrication de gros matériel
électrique. Le premier appartenait à une industrie
formée de petites unités qui se livraient une forte
concurrence, le second à une industrie formée de
quelques grandes entreprises, ayant organisé le
marché. Dans les deux cas, l'organisation du travail
était fondée sur le principe de la division du travail d'exécution et d'organisation, mais ce principe
était plus poussé dans l'atelier de confection où
l'unité était le travailleur, et non l'atelier comme
dans le second exemple.

Menée par observation participante et avec une
minutie dans le détail qui dépasse tout ce qui avait
été fait auparavant dans ce domaine, cette étude
est peut-être le chant du cygne des recherches sur
le freinage.

Ce n'est pas sur le rôle du groupe primaire dans
le contrôle de la production que cette recherche
met en cause les analyses faites couramment par
l'école des relations humaines. Le dépassement est
plus profond. Il vise notamment les deux postulats
sur lesquels de telles analyses se fondent. Celles-ci

supposent en effet, dès lors qu'elles parlent de freinage, qu'il existe des méthodes permettant de prédire exactement les performances attendues des unités de production et, d'autre part, que le principal obstacle à l'accomplissement des attentes de la direction vient des relations informelles dans l'atelier. Elles oublient que ces attentes peuvent ne pas être remplies en raison de l'incapacité de la direction à mettre en œuvre les moyens pour y parvenir. L'introduction explicite dans l'analyse de l'acteur patronal, de ses comportements, de ses manques, de ses attentes, conduit à poser le problème en des termes différents et l'on se demande rétrospectivement comment tant de travaux, de caractère manifestement sociologique, ont pu être menés en ne considérant pratiquement qu'un acteur, le groupe ouvrier. Or, et ce n'est pas le moindre intérêt de cette recherche, c'est dans cette optique limitée qu'elle avait été initialement conçue.

Dans l'atelier de confection, la direction attend des ouvriers qu'ils « travaillent dur » et cherchent à maximiser leurs gains. Les travailleurs acceptent cette définition de leur rôle, mais attendent en revanche de la direction qu'elle crée les conditions favorables pour leur permettre d'agir en conséquence. C'est seulement lorsque ces conditions ne sont pas remplies (or l'absentéisme introduit de fréquents désordres) que les travailleurs protestent. Mais ils le font individuellement, jamais en groupe. En dépit de l'existence de temps manifestement trop stricts, il n'y a pas de « contrôle de la production ».

Le climat de l'atelier de construction électrique est plus détendu. La direction attend des travailleurs qu'ils se laissent chronométrer loyalement, respectent les règlements au sujet de la notation

de leur production, etc. Elle sait qu'en fait ils mani-
pulent le système dans leur propre intérêt. Elle
s'y attend et le tolère tant qu'il ne s'agit pas de
malhonnêteté flagrante. Le comportement n'est
pas jugé par rapport à la norme idéale, mais par
rapport à celle qui est considérée comme raison-
nable, étant donnée la situation qui leur est faite.
L'ouvrier vend ici sa force de travail et non pas
un travail spécifique, car l'employeur est incapable
de bien prévoir à l'avance ce qu'il fera de cette
force de travail.

Le fait qu'il y ait contrôle de la production,
précisément dans l'atelier où le climat est le plus
agréable, va à l'encontre de l'idée selon laquelle
les efforts pour susciter chez les travailleurs un
sens d'appartenance puissent entraîner de leur part
plus de coopération. Aussi l'auteur incite-t-il les
directions à mettre de l'ordre, au point de vue
technique, dans leur maison plutôt qu'à se lamenter
sur les pratiques restrictives des travailleurs. Ce
type de conseil se justifie pour une autre raison ;
les travailleurs appréhendent de façon réaliste leur
situation : leur comportement s'explique aussi par
des _facteurs externes_ sur lesquels les directions n'ont
pas d'action directe, la situation même du marché.
Nous sommes bien loin de l'idée de manipulation.

II. — L'évolution des systèmes de rémunération

1. La crise du salaire au rendement. — Etant
donnée la place accordée aux stimulants financiers
dans les politiques du personnel depuis les débuts
de l'industrie, c'est beaucoup plus sur l'évolution
de ces modes de rémunération (leurs modalités, le
fait d'y avoir plus ou moins recours) que sur celle
des autres procédés de détermination des salaires

que l'on s'est interrogé. Cette préoccupation a commencé de se manifester surtout dans les années 50 et s'est posée dans les termes d'une crise généralisée du salaire au rendement. A partir de ce moment, une abondante littérature a commencé d'en préconiser et d'en prédire la disparition à plus ou moins long terme.

Un premier élément d'information peut être cherché du côté de l'évolution du recours à cette pratique. Le recul, la stagnation ou le progrès du recours au salaire au rendement ne peuvent-ils pas être considérés *a priori* comme un indice de son succès et donc, somme toute, de son efficacité ?

C'est dans les pays de l'Est que la rémunération stimulante est la plus généralisée. On enregistre cependant un recul sensible et régulier de cette pratique en U.R.S.S. depuis 1957. Le pourcentage de travailleurs aux pièces ou au rendement y était passé, à vrai dire, de 29 en 1930 à 73 en 1934. Dans de nombreuses industries, il aurait dépassé 90 en 1949. L'Union soviétique a donné le ton aux nouvelles démocraties populaires. De 1946 à 1949, par exemple, la proportion d'ouvriers aux pièces passait de 36 à 70 % en Hongrie. Cette proportion n'a cessé, semble-t-il, de progresser par la suite. Les motifs des récentes réformes économiques et les commentaires auxquels elles donnent lieu incitent il est vrai, à considérer rétrospectivement d'un œil critique le fonctionnement de fait de telles pratiques. Le mode de fixation des normes et le système bureaucratique de gestion, dans le cadre duquel elles étaient administrées, suffisent à montrer qu'elles accordaient en réalité aux travailleurs une certaine sécurité. Elles devaient servir de lieu occulte d'arrangements, de marchandages, de chantages entre les différentes instances de la hiérarchie des entreprises beaucoup plus que de stimulant. Loin d'en souhaiter la disparition, les réformes en préconiseraient plutôt, s'il en était encore possible, la généralisation. Elles insistent surtout sur leur rationalisation ; l'augmentation de l'autonomie et des responsabilités des directions d'entreprise devrait avoir pour effet de rendre ces systèmes de rémunération plus contraignants.

Le recours aux stimulants matériels n'est pas une caractéristique des modes de gestion socialistes. Après des hésitations,

la Chine, le Vietnam et surtout Cuba ont adopté une politique
exactement inverse, pouvant aller jusqu'à la complète égalité
des salaires.

L'enquête réalisée par l'O.I.T., à la veille du moment où
l'on commença à parler de crise, montrait le succès et la montée sensible du salaire au rendement dans les pays capitalistes
avancés. Certes, ce régime ne concernait que 11 % de la main-
d'œuvre australienne. Mais aux années de référence 1938,
1946, 1949, par exemple, la proportion de travailleurs au rendement passe en Suède de 48 à 52 et 58 % et en Norvège de
39 à 41 et 57 %. En France, il faut attendre le recensement
de 1969 pour constater enfin l'amorce d'une diminution du
recours à une pratique dont le succès fut important (26 %
pour les industries de transformation contre 34 % en 1960).
Aux Etats-Unis, où cette sorte de rémunération est peut-être
plus dépréciée qu'ailleurs, on pouvait néanmoins conclure
en 1963 à une remarquable stabilité autour de 25 à 30 % depuis
la seconde guerre mondiale.

De telles constatations, seraient-elles plus nettes
dans un sens ou dans l'autre, ne sauraient clore le
débat.

D'une part, les chiffres globaux peuvent masquer
une tendance plus déterminante au déclin de telles
formules. Cette forme de rémunération, par exemple,
permet aux chefs d'entreprise, et à l'avantage de
ceux auxquels elle est administrée, d'échapper dans
une large mesure aux politiques de contrôle des
salaires. Des travaux minutieux ont en effet montré
comment les systèmes au rendement, avec les heures
supplémentaires, étaient responsables des glisse-
ments de salaires auxquels n'échappent pas les économies où l'ensemble des partenaires est le plus dési-
reux du respect de ce contrôle. Ainsi, le développement de telles politiques pourrait, par contrecoup
et avec des différences selon les systèmes de relations industrielles en vigueur, assurer une survie artificielle à un mode de rémunération condamné. Il
en altérerait un peu le sens dans le même moment.

D'autre part, dans un domaine qui relève en dernier ressort de la décision des directions, l'existence d'une tendance ne saurait servir de guide (ni par conséquent fonder une prédiction), s'il se révèle, par exemple, que celle-ci ne traduit qu'une conduite irrationnelle ou seulement traditionnelle. C'est à la raison que s'adresse l'argumentation des spécialistes. Il est facile, pour ces derniers, de présenter les résultats d'expériences concluantes, de montrer qu'aucune preuve n'a jamais pu être administrée que les systèmes stimulants étaient efficaces (dans les cas les plus favorables à la thèse adverse, ceux de l'introduction d'un système au rendement, il est pratiquement impossible de déterminer si l'augmentation du rendement est due au système lui-même ou aux aménagements touchant l'organisation et les relations humaines, accompagnant ordinairement sa mise en œuvre) ; facile aussi de comparer les avantages, même illusoires, du système, au coût matériel et moral des revendications consécutives aux disparités de salaires, qu'il ne manque jamais d'introduire entre les postes et les ateliers, disparités difficilement contrôlables et toujours plus ressenties et exploitées par les travailleurs et leurs syndicats.

Mais en ce domaine où il s'agit d'une révolution des attitudes d'une ampleur égale à celle que préconisait Taylor, la raison n'est pas seule en cause. On a commencé d'étudier les sources de l'attachement aux politiques de stimulation et celles des « illusions » qui s'y rattachent (H. Behrend). Ces travaux ont un intérêt sociologique dans la mesure où on en recherche les causes moins dans la psychologie individuelle des dirigeants que dans les caractéristiques de l'organisation où ils exercent leur autorité, ou dans les fonctions non explicitées, latentes (Marcel Bolle de Bal, *S.T.*, 2, 1964) que de telles pratiques se trouvent remplir. On recherche également les processus qui, dans les systèmes d'organisation et dans l'environnement économique et social où sont prises les décisions, bloquent l'innovation, la permettent ou y incitent. Les travaux de ce genre se révèlent à l'heure actuelle plus riches de promesses théoriques et pratiques que ceux qui portent sur le domaine déjà très exploré du fonctionnement, bon ou mauvais, des systèmes stimulants ou des attitudes ouvrières à leur égard. C'est dans cette direction que s'inscrit la tentative de A. Willener. Utilisant un schéma en partie inspiré de A. Gouldner, il analyse, en termes de *résistance au changement*, la politique en matière de stimulant d'un certain nombre de directions d'entreprises sidérurgiques françaises ; point de vue piquant, s'il en est, quand on se rappelle que l'expression très valorisée de résistance au changement a traditionnellement été réservée aux exécutants dans l'histoire de la sociologie industrielle.

2. L'hypothèse technologique. — Dans le débat sur le déclin des systèmes au rendement, l'argument central reste toujours celui de l'évolution technique. Il est en effet, *a priori*, celui qui permet le mieux d'allier la prescription et la prédiction. Sous sa forme la plus simple, il peut être présenté de la façon suivante : le salaire au rendement s'impose ou se justifie lorsque la production dépend de l'effort ouvrier ; lorsque la machine prend en charge plus d'éléments du travail, lorsque c'est elle qui détermine le flux du travail, plus encore lorsque le travailleur, avec l'automation, en devient un simple surveillant, un tel mode de rémunération perd sa raison d'être.

Tel fut le point de départ de la recherche menée sous l'égide de la C.E.C.A. et portant sur une vingtaine de trains de laminage de niveaux techniques différents (C. Durand, B. Lutz, A. Willener et autres, 1959). Elle montra qu'on ne pouvait parler de diminution de l'influence ouvrière sur la production à mesure que les trains deviennent plus mécanisés. Il y a un changement qualitatif de l'influence. L'effet le plus clair de la mécanisation réside dans le changement des attitudes ouvrières à l'égard de la production. Il existe dans les trains les plus mécanisés un goût pour le record, « un début d'identification du travailleur avec son travail, comparable à celle du sportif avec le sport qu'il pratique ». L'attrait spontané du rendement semble donc rendre désuète une forme de rémunération qui reste, malgré tout, une contrainte.

De fait, des trains les moins mécanisés aux plus mécanisés, on observe une diminution de la sensibilité aux variations de production et d'exploitation des trains. Ce qui frappe néanmoins le plus, c'est, à tous les niveaux de mécanisation, la distorsion, croissante avec le temps, entre les règles formelles de fonctionnement et le fonctionnement de fait : les cadres s'efforcent d'en neutraliser les effets. C'est l'attachement des directions à un système dont elles s'efforcent elles-mêmes de fausser les mécanismes, qui pose dès lors un problème. On assiste à une sorte de *cultural lag*, de retard de la conscience sur la pratique et de celle-ci sur les réalités techniques, qui amène les chercheurs à employer le terme de crise du salaire au rendement et à en prédire (et en préconiser) la disparition.

Il semble difficile d'extrapoler sans précautions à d'autres secteurs les résultats d'une recherche qui nuance d'ailleurs singulièrement l'hypothèse technologique d'où elle était partie. Aux États-Unis, selon Mangum, alors que les systèmes au rendement étaient traditionnellement associés au travail répétitif, standardisé, dont le rythme dépendait des travailleurs, la tendance actuelle est son extension à des travaux dont le rythme est imposé par la machine et à un personnel n'ayant pas d'influence directe sur la production.

L'automation ne semble pas avoir eu sur les salaires les résultats auxquels on pouvait s'attendre. Au terme de son étude sur la France, P. Naville pouvait conclure qu'elle « n'a entraîné aucune modification fondamentale en matière de rémunérations ».

On stimulait autrefois pour que le travailleur augmentât son effort ou le maintînt. On stimule aujourd'hui pour que l'opérateur n'interfère pas dans le déroulement du processus normal de production. Si l'on tient compte des capitaux investis dans les appareillages automatiques et du manque à gagner dû à son mauvais fonctionnement, on voit dans quelle position de force se trouve l'opérateur moderne par rapport au vieux piéçard. Ajoutons que la mesure de l'utilisation de l'équipement se substitue à l'étude des temps et mouvements comme base de calcul du salaire au rendement : on comprend donc le changement d'attitudes syndicales, en tout cas aux Etats-Unis. Véritable retournement de la situation traditionnelle, c'est sous la pression du syndicat, et contre leur propre volonté, que des directions américaines auraient été amenées à introduire ou généraliser le salaire au rendement.

3. Mode de rémunération et type d'implication sociale. — Le reproche qui peut être fait à la plupart des analyses du type « technologique » (l'étude C.E.C.A. elle-même n'y échappe qu'à demi) n'est pas de chercher à établir des rapports entre le recours à certaines formes de rémunération et la nature des systèmes techniques de production. Il est bien évident qu'un tel lien existe. Le reproche porte plutôt sur la façon dont ce lien est habituellement recherché ou conçu. Par une logique de la démarche compréhensible, mais néanmoins curieuse de la part de sociologues, les travaux en viennent presque automatiquement à privilégier le système technique comme déterminant premier et à en faire l'argument à partir duquel tout doit être jugé. Ils tendent par ailleurs à supposer qu'une quelconque signification *sociale* d'un mode de rémunération puisse être donnée à partir de la seule constatation que tel ou tel système de salaire se trouve correspondre (ou devoir correspondre) à tel système technique.

Les conséquences de cette manière de raisonner apparaissent clairement dans les implications pratiques habituellement tirées de ces travaux. Elles sont plus claires encore, car plus paradoxales, lorsqu'elles le sont par des chercheurs animés de sentiments favorables aux travailleurs et prompts à mettre en cause les comportements patronaux. On ne reprochera pas à ces chercheurs de condamner le salaire au rendement dans les situations techniques où, en raison de sa relative irrationalité, il devient sinon profitable, du moins relativement peu gênant pour le travailleur. On s'étonnera, en revanche, que cette condamnation ne puisse être prononcée qu'en justifiant le salaire au rendement dans la situation technique où, paraissant s'imposer, il est en même temps le plus impitoyable pour le travailleur.

Le salaire au rendement semble, certes, le mode de rémunération quasi naturel, obligé, de certaines situations techniques de travail. Il ne s'ensuit pas pour autant qu'il doive être alors préconisé. Ce raisonnement n'est possible que parce qu'un privilège

causal excessif est accordé à la technologie (ceci
dans la situation même où ce privilège peut être le
plus discuté) ou, vu d'une autre façon, parce qu'un
système technique est considéré comme un *objet
naturel* et non comme un *produit social*. Car, en
réalité, ce n'est pas tant parce qu'il existe un certain
type de travail parcellaire que le salaire au rendement s'impose ; c'est, à l'inverse, parce qu'on considère le salaire au rendement comme supérieur au
salaire au temps, parce qu'on considère le stimulant
financier comme un mode de stimulation plus commode ou meilleur qu'un autre, parce qu'enfin on a
une certaine conception du travail ouvrier et des travailleurs que l'on s'efforce d'organiser le travail de
façon parcellaire. Il suffit pour s'en convaincre de
relire les classiques de l'organisation scientifique du
travail.

Une deuxième remarque est liée à la précédente.
Un sens doit être obligatoirement donné à cette
liaison entre un mode de rémunération et une situation technique. Celui qui le premier vient à l'esprit,
est par définition celui-là même au nom duquel, dans
la pratique, le mode de rémunération est appliqué.
Dans le cas du salaire au rendement, la liaison est
jugée inadéquate si cette forme de rémunération ne
remplit pas son but officiel qui est de stimuler ou
d'assurer une certaine prévision de la production
(ou si d'autres moyens d'assurer l'un et/ou l'autre
peuvent être plus pertinents). L'inadéquation est
attribuée, dans l'argumentation technologique courante, au fait que le salaire n'est plus, dans certaines
situations, le symbole de la relation de l'ouvrier à
son travail. La vérité du salaire apparaît la recherche
de cette adéquation.

Même dans le moment idéal où le salaire pouvait
être considéré comme le symbole de la relation de

l'ouvrier à son travail, il était aussi autre chose. Ce symbole étant posé par le patronat, il était également, à ce titre, un rapport avec le patronat et le système économique. Plutôt qu'un symbole de la relation de l'ouvrier à son travail, le mode de rémunération est celui de la place que la société fait à son travail, au travail. C'est être fidèle au courant de pensée dont sont issues la plupart des analyses en termes d'évolution technologique, que de le rappeler et de montrer que la simple mise en relation d'une forme de rémunération avec le système technique est insuffisante à rendre explicite le type d'implication au système économico-social dans lequel un mode de rémunération particulier engage les travailleurs.

Reprenant un travail personnel antérieur, on considérera ici la signification du stimulant — quant à l'implication du travailleur dans la société ou le système économique — dans deux situations techniques (et à la fois historiques) différentes, et à propos desquelles on peut être également tenté de parler du mode de salaire comme relation de l'ouvrier à son travail (1). Il s'agit du travail à la tâche tel qu'il était souvent pratiqué au XIXe siècle dans les ateliers où existaient le système professionnel de travail et des variétés de salaire au rendement, au lendemain de la révolution taylorienne, c'est-à-dire dans des ateliers de la phase B, selon la terminologie d'A. Touraine.

Dans le premier cas, en raison notamment du caractère non standardisé de la production, les tarifs à la tâche étaient négociés avec le contremaître. Lorsque le professionnel marchandait lui-même le prix pour son équipe — parfois embauchée et rémunérée directement par lui — il pouvait être assimilé

(1) *Formes de salaire et types d'action ouvrière*, Le mouvement social, oct.-déc. 1967.

à une sorte d'entrepreneur au petit pied. L'expression de « travailleur marchand de son travail » doit être prise au sérieux. C'était une invitation à ce qu'il se comportât comme un marchand et en assumât les risques, c'était en faire un véritable *agent* économique. On attendait du surcroît de dignité conféré au travailleur par ce mode de rémunération, un sens des responsabilités que le salaire au temps était censé ne pas pouvoir lui donner. Le salaire à la tâche mettait en réalité le travailleur face à face avec le fonctionnement du système capitaliste. Souvent payant dans l'immédiat, il devenait désastreux en période de récession. Si les syndicats insistèrent tant auprès des militants pour que ceux-ci s'en méfient, c'est que l'acceptation du travail à la tâche, tout comme la discussion des tarifs, était fréquemment individuelle. Les organisations ouvrières faisaient appel à la dignité et au sens de la responsabilité pour le combattre. Ce sentiment de responsabilité auquel font également appel l'apologiste et l'adversaire du travail à la tâche, est ce qui disparaît, en même temps que l'autonomie ouvrière, avec le salaire au rendement.

Nous avons vu comment Taylor, pour mettre fin aux « tromperies réciproques », standardise, et pour standardiser organise. Il met fin au marchandage parce qu'il procède à la fois à une « lecture objective du marché » et à une analyse des tâches. Il propose un nouveau fondement de l'ordre industriel, la rationalisation, ordre constitué qui se substitue au laisser-faire en matière d'économie et d'organisation de travail. Mais ces deux fondements n'engagent pas les travailleurs de la même façon.

Pour les ouvriers de métier, en nombre limité sur le marché, possédant de ce fait un certain pouvoir, se soumettre aux lois naturelles de l'économie était une incitation à profiter des règles du jeu. E. Hobsbawm a montré comment les syndicats britanniques en ont fait peu à peu l'apprentissage. Or jouer le jeu c'est, sinon le constituer, du moins le perpétuer : la réprobation syndicale de la surproduction et de l'abrutissement des travailleurs, consécutifs au travail à la tâche, vise au moins autant les travailleurs qui s'y soumettent que les patrons qui l'administrent.

Se soumettre à l'ordre rationnel de l'organisation, en revanche, ne signifie aucunement y participer, le constituer. C'est, *dans le meilleur des cas*, seulement l'accepter comme juste. C'est bien pourquoi Taylor, conscient des implications pour le travailleur d'une limitation de l'engagement dans l'ordre qu'il instaurait, entendait que celui-ci fût bien payé. Faute de constituer ce monde, d'en jouer, d'en être à quelque égard en partie responsable, il devait en profiter. Cette double caractéristique, engagement limité et référence à la rationalité, engendre cette prolifération pathologique de normes et de précisions dans les critères de rémunération, si caractéristiques des économies avancées. Le travailleur, qui ne peut plus être tenu de la même manière pour responsable de sa situation de travail, entend profiter au maximum et multiplie les cadres de référence à la justice, par définition infinis. La multiplication et la précision des normes relatives au salaire, loin d'être le résultat de la rationalisation et d'un plus grand *consensus*, en sont la perversion. Plus exactement, et transposant analogiquement les distinctions de Gouldner à propos des règles bureaucratiques, on peut dire que la part du « punitif » (de part et d'autre) est plus grande dans l'établissement des normes que celle de l' « expertise ».

C'est par ailleurs lorsque l'on croit être enfin parvenu à mesurer le travail concret, les aptitudes des travailleurs que, la production devenant plus collective, la rémunération comme symbole du rapport du travailleur à son travail devient la plus fictive. Mais s'engager dans cette direction, c'est abandonner le terrain spécifique de la sociologie pour s'aventurer déjà sur celui de la science économique.

CONCLUSION

Peut-être convient-il de rappeler qu'un choix a été fait dans ce qu'on dénomme sociologie industrielle. Nous avons indiqué les raisons pour lesquelles un tel choix s'imposait et celles qui nous ont fait prendre le parti, très classique, que nous avons adopté. Il offre un avantage : celui de permettre de cerner le cheminement de la réflexion scientifique de beaucoup plus près peut-être que ne l'eût permis un autre choix. Seule, sans doute, une histoire des théories du mouvement ouvrier aurait pu se prêter, avec un égal bonheur, à un dessein semblable.

Il est apparu de façon assez nette que la réflexion scientifique ne procède pas de façon continue, mais plutôt par ruptures. Des ensembles théoriques plus ou moins explicites, baptisés parfois « doctrines » — ils le sont quelquefois à l'origine ou, à l'inverse, le deviennent en fait par leur aptitude à orienter l'action — ouvrent soudain des perspectives nouvelles. Une génération de chercheurs les exploitent et travaillent dans un va-et-vient entre la recherche et la théorie jusqu'au moment où celle-ci, apparaissant comme stérile, vidée de son pouvoir heuristique ou délibérément fausse, d'autres ruptures paraissent s'imposer. Mais la réponse que propose à des problèmes non résolus un ensemble théorique nouveau se fait au prix d'un déplacement du champ qui en laisse d'autres comme abandonnés : il n'y a jamais intégration de tous les problèmes. C'est une des raisons pour lesquelles la lecture de la littérature relevant de perspectives théoriques jugées périmées n'est jamais un exercice stérile, comparable à la visite académique d'un conservatoire ou d'un musée des idées et outils hors d'usage.

Toute cette logique interne, discrètement esquissée dans la trame de la présentation que nous venons de faire de la sociologie industrielle, aura tendu peut-être à donner de l'histoire de cette dernière une image trop sereine et à ce titre incomplète et erronée. La logique scientifique interne, en effet, ne suffit pas à rendre compte du développement d'une connaissance. Celle-ci ne s'élabore pas dans un vide social. Il existe des conditions sociales au progrès des sciences les plus abstraites. Ceci est vrai, de façon combien plus évidente encore, à propos d'une réflexion portant sur un objet aussi central pour les sociétés contemporaines que le travail et les organisations industrielles. La pratique désigne impérieusement certains problèmes et l'idéologie joue ici un rôle d'autant plus important qu'il s'agit d'un lieu plus crucial pour le fonctionnement de la société, c'est-à-dire au cœur des engagements (plus ou moins conscients) présidant à l'organisation des rapports sociaux.

L'histoire de la sociologie industrielle est inséparable de celle de l'industrie. Les problèmes nouveaux que celle-ci fait apparaître (aujourd'hui, par exemple, le fait qu'une proportion croissante de la main-d'œuvre ouvrière des pays industrialisés soit constituée par l'immigration étrangère, la crise des cadres, la transformation des méthodes de gestion par l'introduction de l'ordinateur, les conséquences sociales incalculables de décisions prises par quelques-uns au sein de quelques firmes disposant d'un pouvoir considérable, etc.), constituant à la fois un stimulant et un défi pour les problématiques existantes, font que l'histoire de cette discipline ne saurait d'aucune façon se présenter comme l'approfondissement toujours plus élaboré d'un même problème, originairement plus ou moins bien défini. Le choix fait ici obligeait un peu à cette sorte de reconstitution artificielle *a posteriori*.

C'est leur idéologie, plus que la science (le recours à cette dernière se faisant en partie en fonction de leur idéologie) qui guide les individus dans leur pratique quotidienne. Mais l'idéologie n'est pas non plus absente de la manière dont les sociologues industriels posent les problèmes. Dénoncer celle qui, sous la forme la plus insidieuse, pénètre la connaissance, la biaise, masque à tout coup certains problèmes du seul fait qu'ils ne peuvent tous être désignés à la fois, est devenu un exercice à la mode. La sociologie industrielle est un terrain classique où cette critique s'est toujours exercée. Cette critique s'est révélée particulièrement fertile chaque fois qu'elle se trouvait liée à un projet scientifique véritable. C'est pourquoi celui qui désire s'y livrer gratuitement trouvera son travail facilité en se portant sur les moments de rupture. La constitution d'un champ nouveau se trouve en effet presque toujours associée à un mouvement intellectuel explicitement idéologique et débordant largement le cadre de ce qu'il est convenu d'appeler science. Le moralisme rigide de Taylor, les inquiétudes d'E. Mayo et de G. Friedmann, l'indignation critique à la base d'analyses en termes d'aliénation n'ont certes pas plus à voir avec la réflexion scientifique que les fantaisies des saint-simoniens ou l'esprit d'aventure des capitaines d'industrie n'en ont avec la rationalité industrielle. Mais ils sont à coup sûr, dans ce domaine, la condition nécessaire et la source des véritables révolutions scientifiques. Nous n'avons malheureusement pas pu mettre l'accent sur les idéologies, partie intégrante de l'histoire de la sociologie industrielle. Nous n'avons pas cherché à l'inverse (et nous nous en serions gardé) à retrouver une sorte d'essence de son contenu scientifique, dégagé de ce qui en serait la gangue idéologique. Laissant de côté ces problèmes, et sans modèle bien arrêté ce qu'il convient de qualifier de « science », nous nous sommes plus modestement borné à indiquer de quelle manière ceux qu'on appelle les sociologues industriels, de la façon la plus contrôlée possible, ont utilisé et affiné le matériel intellectuel, nécessairement impur, à leur disposition pour poser, comprendre et parfois résoudre tant bien que mal et provisoirement certains problèmes limités, concernant un aspect de la vie en société.

BIBLIOGRAPHIE SOMMAIRE

TREANTON (Jean-René) et REYNAUD (Jean-Daniel). *La sociologie industrielle, 1951-1962. Tendances actuelles de la recherche et bibliographie*, Basil Blackwell, 1964. Bibliographie de 1 350 titres.

FRIEDMANN (G.) et NAVILLE (P.) (sous la direction de). *Traité de sociologie du travail* (2 vol.). Colin, 1962.

WALKER (Ch. R.). *Modern technology and civilization*, McGraw Hill, 1962 (Recueil de textes commentés).

BLAUNER (R.). *Alienation and freedom*. Univ. of Chicago Press, 1964.

CHANDLER (Alfred D.). *Strategy and Structure*. M.I.T. Press, 1962.

CROZIER (Michel). *Le phénomène bureaucratique*. Seuil, 1963.

FRIEDMANN (G.). *Problèmes humains du machinisme industriel*, 1945 ; *Où va le travail humain ?*, 1950 ; *Le travail en miettes*, 1964. Gallimard.

GOULDNER (A. W.). *Patterns of industrial bureaucracy*. Free Press, 1954.

HERZBERG (F.) (et autres). *The motivation to work*. John Willey, 1959.

LUPTON (T.). *On the shop floor*. Pergamon Press, 1963.

MALLET (Serge). *La nouvelle classe ouvrière*. Seuil, 1969.

MARCH (J. G.), SIMON (H.-A.). *Les organisations, problèmes psycho-sociologiques* (trad. fr.). Dunod, 1964.

MEISSNER (Martin). *Technology and the worker*. Chandler, 1969.

NAVILLE (Pierre). *Vers l'automatisme social, Problèmes du travail et de l'automation*. Gallimard, 1963.

PERROW (Charles). *Organizational Analysis, a sociological view*. Tavistock, 1970.

RŒTHLISBERGER (F. G.) et DICKSON (W. J.). *Management and the Worker*, Harvard Un. Press, 1939.

SELZNICK (Ph.). *Leadership in administration*. Row, Peterson, 1957.

TAYLOR (F. W.). *La direction scientifique des entreprises*. Dunod, 1957 (Textes de 1911 et 1912).

TOURAINE (Alain). *L'évolution du travail aux usines Renault*. C.N.R.S., 1955 ; *Sociologie de l'action*. Seuil, 1965 ; *La conscience ouvrière*. Seuil, 1966.

WHYTE (W. F.). *Money and Motivation*. Harper, 1955.

WOODWARD (Joan). *Industrial Organization, Theory and Practice*. Oxford Univ. Press, 1965.

Revue *Sociologie du Travail*. Seuil.

TABLE DES MATIÈRES

1971. — Imprimerie des Presses Universitaires de France. — Vendôme (France)
ÉDIT. N° 31 684   IMPRIMÉ EN FRANCE   IMP .N° 22 475

SCIENCES PURES